albrecht dürers bildnis der elsbeth tucher

gedächtnis, tradition und identität im deutschen porträt vor 1500

M H M N S K

albrecht dürers bildnis der elsbeth tucher

gedächtnis, tradition und identität im deutschen porträt vor 1500

Julia Carrasco

Museumslandschaft Hessen Kassel
Deutscher Kunstverlag

Museumslandschaft Hessen Kassel
Wissenschaftliche Reihe, Bd. 3

Herausgeber:
Museumslandschaft Hessen Kassel
Martin Eberle
Projektsteuerung:
Gisela Bungarten
Text und Bearbeitung:
Julia Carrasco
Kunsttechnologische Untersuchung:
Christiane Ehrenforth
Redaktion:
Justus Lange, Stefanie Rehm
Photographie:
Gabriele Bößert, Arno Hensmanns
Gestaltungskonzept und Layout:
Annett Osterwold, Berlin

Bibliographische Information der Deutschen Nationalbibliothek

Die Deutsche Nationalbibliothek verzeichnet diese Publikation
in der Deutschen Nationalbibliographie; detaillierte bibliographische
Daten sind im Internet über http://dnb.d-nb.de abrufbar.

Vertrieb im Buchhandel:
Deutscher Kunstverlag Berlin München
ISBN 978-3-422-90988-5 (Deutscher Kunstverlag)
ISBN 978-3-931787-64-6 (Museumslandschaft Hessen Kassel)

HESSEN

Die Museumslandschaft Hessen Kassel
ist eine Einrichtung des Landes Hessen

Abbildung:
Albrecht Dürer: Bildnis der Elsbeth Tucher (Detail),
1499, Kassel, Museumslandschaft Hessen Kassel,
Gemäldegalerie Alte Meister

Inhalt

Vorwort

Martin Eberle

Sicherlich lässt sich ohne Zweifel feststellen, dass die Gemäldegalerie der Museumslandschaft Hessen Kassel zu einer der bedeutungsvollsten ihrer Art in Europa gehört. Vor allem innerhalb der niederländischen Kunst kann sie zahlreiche Meisterwerke aufweisen, wie etwa Rembrandts *Jakobssegen* oder das *Bildnis der Saskia im reichen Kostüm*, den lustigen Zecher (*Peeckelhaering*) von Frans Hals oder Rubens' *Triumph des Siegers*.

Doch es sind nicht nur Rubens, Rembrandt und Frans Hals und all die anderen großen Meister des Goldenen Zeitalters der Niederlande, mit denen die Kasseler Gemäldegalerie nationale und internationale Bedeutung erlangte. Eines der wohl berühmtesten Gemälde unserer Sammlung ist Albrecht Dürers *Porträt der Elsbeth Tuche*r, das über Jahrzehnte den 20 D-Mark-Schein der Bundesrepublik Deutschland zierte und damit nicht nur in aller Augen, sondern sogar in aller Hände war.

Das 1499 entstandene Bildnis der Elsbeth Tucher gehört noch zu den frühen Werken des Künstlers und belegt auf beeindruckende Weise, die überragende Bedeutung Albrecht Dürers für die Porträtmalerei der Renaissance. Gerade weil es vor allem durch die alltägliche Handhabung seinen Ruhm erwarb, blieb die künstlerische und kunsthistorische Bedeutung des feinsinnigen Porträts außerhalb eines Fachpublikums zu wenig beachtet. Längst ist es somit an der Zeit, diesem Bildnis eine eigene monographische Abhandlung zu widmen, wie es schon lange der Wunsch auch des Leiters der Gemäldegalerie, Herrn Justus Lange, war.

Die vorliegende *wissenschaftliche Reihe* der Museumslandschaft Hessen Kassel ist für eine solche Veröffentlichung das ideale Medium, wird es doch zum einen allen Anforderungen einer wissenschaftlichen Veröffentlichung gerecht, zum anderen aber verliert es den vielleicht kunsthistorisch nur bedingt geschulten Leser nicht aus dem Auge. So dürfen hier auch Fragen nach der dargestellten Person gestellt werden oder nach der Besonderheit gerade dieses Gemäldes, aber es erfolgt eben auch eine Einordnung des Kasseler Meisterwerkes innerhalb des künstlerischen Schaffens Dürers. Somit wird dem geneigten Leser durch die Autorin ein Wechselspiel zwischen Kunst- und Kulturgeschichte geboten, das gerade diesen Band so lesenswert macht.

Mit Julia Carrasco, der ehemaligen wissenschaftlichen Volontärin der Gemäldegalerie und einer Spezialistin für altdeutsche Malerei, fand sich eben diese Autorin, die eine kompakte Monographie zu dem bekanntesten altdeutschen Gemälde unserer Sammlung vorlegte. So möchte ich an dieser Stelle Frau Julia Carrasco meinen besonders herzlichen Dank für den kenntnisreichen Text aussprechen, aber auch Herrn Justus Lange und Frau Stefanie Rehm, die die redaktionelle Betreuung übernahmen.

Letztlich bleibt mir nur zu wünschen, dass diese Publikation dieselbe Verbreitung und Beliebtheit finden möge, wie sie einst der 20 D-Mark-Schein hatte!

Ein bekanntes Gesicht: Einführung und Forschungsstand

Albrecht Dürers Kasseler Bildnis der Elsbeth Tucher[1] (Abb. 1) gehört zu den bekanntesten Porträts der deutschen Renaissance. Dieser Ruhm liegt nicht in erster Linie in der kunsthistorischen Prominenz des Tafelbildes begründet, wie ihn beispielsweise Dürers Münchner Selbstporträt von 1500 genießt. Vielmehr verdankt er sich einem besonderen Umstand, der sich Besuchern der Gemäldegalerie Alte Meister in Kassel vor dem Original zumeist erst bei genauerem Blick erschließt. Von 1961 bis 1992 zierte der Kopf Elsbeth Tuchers den 20 D-Mark-Schein der Bundesrepublik Deutschland als Teil einer neuen, ab 1957 geplanten Banknotenserie der Deutschen Bundesbank (Abb. 2). Der Anregung früherer Reichsbanknoten folgend, sollte die Serie Kopfbildnisse zeigen, denen gemalte Porträts deutscher Künstler aus der Zeit um 1500 zum Vorbild dienten. Der kulturgeschichtliche Charakter und die historische Unverfänglichkeit, die man in den Gemälde-Porträts historischer Privatpersonen gegeben sah, ließen diese Motive als geeignet für den Zahlungsverkehr und eine breite Akzeptanz in der Bevölkerung erscheinen. Die Wahl fiel auf Gemälde von Albrecht Dürer, Lucas Cranach, Barthel Beham, Christoph Amberger und Hans Maler von Schwaz, die den Entscheidungsgremien zufolge nach künstlerischem Wert, physiognomischer Ausdruckskraft, die auch einen gewissen Fälschungsschutz bot, und ihrer Eignung für eine graphische Adaption ausgesucht wurden. Diese vorwiegend ästhetischen Auswahlkriterien wurden auch durch die Tatsache bestätigt, dass weder die Namen der Künstler noch, soweit bekannt, der Porträtierten auf den Banknoten Erwähnung fanden. Aus der künstlerischen Ausschreibung ging der Schweizer Graphiker Hermann Eidenbenz als Sieger hervor, der zuvor

Abb. 2
20 D-Mark-Schein

Abb. 1
Albrecht Dürer: Bildnis der Elsbeth Tucher,
1499, Kassel, Museumslandschaft Hessen Kassel,
Gemäldegalerie Alte Meister

bereits erfolgreich Banknoten für den Schweizer Franken gestaltet hatte. Nach seinen Entwürfen, die wiederum unmittelbar auf den malerischen Vorlagen basierten, wurden die Bildnisse in Stahl gestochen.[2]

Die graphische Version des Kasseler Porträts gibt Dürers malerische Vorlage, von der unweigerlichen medialen und farblichen Verfremdung abgesehen, höchst originalgetreu wieder. Die plastische Modellierung der markanten Züge der Dargestellten wird in den Schwarz-Weiß-Kontrasten des Kupferstichs noch verstärkt, der physiognomische Eigenarten wie die Form von Nase und Augen, Lippen- und Hautfalten bis ins Detail sensibel einfängt. Künstlerische Freiheiten erlaubte sich der Graphiker allein in dem beidseitig über die Schultern fallenden Tuch, der plastischen Stickerei des Haubenornaments und in der dezenten Linksbewegung des Stirnschleiers, die auf die starre Komposition leicht dynamisierend wirkt. Auch mit diesen Modifikationen, die dem kompositorischen Gesamtgefüge des Geldscheins geschuldet sind, bleibt die Vorlage uneingeschränkt identifizier- und wiedererkennbar. Die ungewöhnliche Verschiebung von Medium und Kontext, die mit dem Motivtransfer vom Gemälde zum Geldschein einhergeht, sorgt in der Begegnung mit Dürers Original jedoch noch heute nicht selten für einen Moment der Irritation: In der Art und Weise, wie man sich einem alten Bekannten gegenüber findet, dessen Name und Herkunft einem vorübergehend entfallen sind, stehen so zumeist ältere Besucher mit zunächst fragendem, schließlich befriedigtem oder auch verblüfftem Blick vor der Kasseler Tafel, in der sie einen Teil der eigenen wie auch der kollektiven (west)deutschen Alltagskultur erkennen können.

Die öffentliche Omnipräsenz, die das Gemälde Elsbeth Tuchers in Gestalt seines zum Zahlungsmittel umgewandelten Abbildes erlangte, bescherte der Tafel eine Popularität, die sich auch am werbekräftigen Einsatz des Bildes im deutschen Ausstellungsgeschäft zuverlässig ablesen lässt.[3] Bemerkenswerterweise entfaltet sich diese Anziehungskraft nicht nur abseits von Fragen der kunsthistorischen Stellung oder Bedeutung des Gemäldes, sie steht tatsächlich sogar in diametralem Gegensatz zum Stand der Forschung, innerhalb derer das Bildnis und sein Gegenstand bislang eine merkwürdige Leerstelle bilden. Dies gilt sowohl für die historische Person Elsbeth Tuchers, über welche die Quellen weitestgehend schweigen,[4] als auch vor allem für die Beschäftigung der Kunstgeschichte mit Dürers Bildnis. Erschwert wird diese durch den Verlust des einstigen kontextuellen Zusammenhangs des Gemäldes, der seine heutige museale Präsentation und nicht ursprüngliche Wahrnehmung als Einzelbildnis bestimmt.

Die Tafel gehört zur Gruppe der frühen und quantitativ recht beträchtlichen Bildnisse, die Dürer in den 1490er Jahren nach der Rückkehr aus Italien und der Niederlassung als selbständiger Künstler in Nürnberg malte. Seine Autorschaft gilt trotz fehlender originaler Signatur als motivisch und stilistisch gesichert.[5] Dargestellt ist die 26-jährige Ehefrau des Nürnberger Kaufmanns Niclas II. Tucher, des Angehörigen eines alteingesessenen Patriziergeschlechts, dessen Söhne als Kaufleute und Mitglieder des Rates seit Generationen Ansehen und Erfolg in der Pegnitzstadt genossen. Elsbeth Tucher, gekleidet in die Tracht der Nürnberger Patrizierin, erscheint als Brustbild in Dreiviertelfigur vor einem offenen Fenster mit Landschaftsausblick links und einer ornamentalen Tapisserie rechts, in der Hand einen Ring als Zeichen ehelicher Verbundenheit. Gemäß seiner originalen Inschrift entstand das Porträt 1499, und bildete das Gegenstück zum Bildnis des Ehemanns, das heute als verschollen gilt. Mit diesem war es durch Scharniere zu einer zusammenklappbaren Doppeltafel, dem sog. Diptychon, verbunden. Dieses ursprüngliche Arrangement wird durch ein weiteres, zeitgleich von Dürer gemaltes und heute in Weimar befindliches Diptychon nahegelegt, das Hans XI. und Felicitas Tucher, Schwager und Schwägerin Elsbeths (Abb. 23), zeigt und große Übereinstimmungen zum Kasseler Bildnis aufweist. Die Komposition wie auch der Typus der korrespondierenden Ehebildnisse gehen auf das Vorbild des niederländischen Porträts zurück, das sich als junge Bildgattung im frühen 15. Jahrhundert ausbildete und später zunehmend auch in Deutschland, vornehmlich in Kreisen der bürgerlichen Oberschicht, verbreitete.

Das Kasseler Porträt und seine Pendants fanden bislang überwiegend Berücksichtigung im Zusammenhang von überblicksartigen Untersuchungen wie monographischen Darstellungen des Dürer-Œuvres. Notwendigerweise wurden die Bildnisse hier unter allgemeineren Fragestellungen zum Schaffen des Künstlers betrachtet.[6] So bildete die formale, stilistische und kompositorische Eingliederung der Tucher-Bilder in Dürers Frühwerk bzw. sein umfangreiches Porträtschaffen zumeist das hauptsächliche Interesse. Hierbei wurden die Werke überwiegend als illustrative Vergleichsgrößen behandelt, etwa in der Gegenüberstellung mit künstlerisch prominenten Arbeiten wie den Selbstbildnissen Dürers (Abb. 19) oder dem Bildnis Oswolt Krels (Abb. 22), die im gleichen Zeitraum entstanden. Dieser systematisierende Ansatz der Betrachtung stand einer tiefgründigeren Auseinandersetzung mit den Einzelwerken naturgemäß im Wege und gelangte selten über die deskriptive Ebene hinaus. Aus den ungleichen Gegenüberstellungen, in denen funktionale Aspekte der Bildgestaltung ausgeblendet blieben, resultierte bisweilen eine durchaus negative Beurteilung der Bildnisse, die etwa als »merkwürdig uninspiriert«[7] bis hin zu »langweilig und in ihrer identischen Bildanlage sogar einfallslos«[8] bezeichnet wurden. Im Rahmen künstlerbiographischer Betrachtungen wurden die Tucher-Porträts als Bestandteil der beachtlichen Bildnis-Produktion des Frühwerks berücksichtigt, welche für Dürers künstlerische und wirtschaftliche Etablierung zu Beginn seiner Nürnberger Selbständigkeit von hoher Bedeutung war.[9] Über eine grundsätzliche Verortung innerhalb des Œuvres gelangte die Beschäftigung mit den Tucher-Bildnissen jedoch auch hier zwangsläufig nicht hinaus. Auch die hohe Präsenz der Werke in Ausstellungskatalogen,[10] der Literatur zur Porträtkunst[11] sowie der deutschen bzw. Nürnberger Tafelmalerei[12] konnte im Rahmen der jeweils gegebenen Themenstellung zumeist nur begrenzt neue Erkenntnisse erbringen. Zusätzlich erschwert wurde dies durch die Tatsache, dass die Werkgruppe der frühen Dürer-Bildnisse selbst bislang ein weitestgehendes Forschungsdesiderat darstellte.[13] Die erste umfassendere Würdigung des Kasseler Bildnisses bot der Bestandskatalog zur altdeutschen Malerei aus dem Besitz der Staatlichen Museen Kassel (heute Museumslandschaft Hessen Kassel), der eine knappe Erfassung und Erläuterung der Bildmerkmale sowie einen Überblick des Forschungsstandes lieferte.[14] Hier wie auch in nachfolgenden Publikationen erfuhren einzelne Bildaspekte besondere Berücksichtigung, darunter die Darstellung der Landschaft, der textile Bildhintergrund oder die unterschiedlichen Ausführungen der Tucher-Bildnisse in Kassel und Weimar, die für letztere in eine Diskussion der Autorschaft Dürers mündeten.[15] In jüngerer Zeit erweiterte sich das Spektrum der Fragestellungen, welche die Forschung an die Bilder herantrug, um historiographische und funktionale Aspekte,[16] die wichtige neue Erkenntnisansätze u.a. zum Kontext von Dürers frühen Auftragsbildnissen, den Auftragsporträts der Tucher-Familie im Besonderen sowie zur Bildpraxis des Diptychons um 1500 lieferten.[17]

In Anknüpfung an diese Impulse und im Unterschied zum vorwiegend allgemeinen und oftmals selektiven Ansatz bisheriger Forschung soll nachfolgend ein Perspektivwechsel unternommen und das Porträt Elsbeth Tuchers selbst ins Zentrum der Betrachtungen gerückt werden. Dabei gilt es, die künstlerischen und historischen Bedingungen zu erfassen, welche die Entstehung der Kasseler Tafel und seinen spezifischen Charakter prägten. Dies erfordert zum einen eine analytische Einordnung in das künstlerische Schaffen Dürers, des lokalen wie überregionalen Umfeldes und die Traditionen der Bildgattung Porträt. Zum anderen ist nach den geschichtlichen Voraussetzungen des

Gemäldes zu fragen: In welchem Kontext entstand das Werk, was lässt sich über die Auftragssituation sagen, und welche Rückschlüsse und Erkenntnisse können hieraus für seine Gestaltung, seine Funktion und Rezeption gewonnen werden? In der Verflechtung beider Faktoren kann das Porträt der »Tucherin« mit Blick auf seinen kunsthistorischen Standort präziser definiert werden: Als qualitätvoller, ebenso innovativer wie traditionsgebundener Repräsentant der frühen deutschen Porträtmalerei um 1500, dessen Charakter und Erscheinung wesentlich in der Nürnbergischen patrizischen Repräsentationskultur verwurzelt ist.

1 Lindenholz, 29,2 x 23,3 cm, Kassel, Museumslandschaft Hessen Kassel, Gemäldegalerie Alte Meister, Inventar-Nr. GK 6; Kat. Kassel 1997, S. 112-119. Oben rechts beschriftet »ELSPET NICLAS TVCHERIN (ligiert) 26 ALT (ligiert)«, darunter datiert »1499«; unterhalb der Brüstung die verblasste Signatur »AD« (nicht original, da über der Firnisschicht liegend; Archiv Restaurierungsabteilung MHK, 1998).

2 Siehe einführend Bundesbank 1962; Bundesbank 1964; vgl. auch Krause 2016, S. 170.

3 Das Bildnis zierte in jüngerer Zeit in kurzer Folge die Plakate der Münchner Ausstellung »Dürer Cranach Holbein. Die Entdeckung des Menschen: Das deutsche Porträt um 1500« (2011) und der Frankfurter Schau »Dürer. Kunst, Künstler Kontext« (2013). Die Werbewirksamkeit des Bildes bleibt nicht auf das Museum beschränkt: So stand im Rahmen der 62. Internationalen Orgelwoche Nürnberg im Juni 2013 ein Konzertabend unter dem Motto »Elsbeth Tucher - ein musikalisches Porträt«.

4 Hier immer noch maßgeblich Grote 1961, S. 74.

5 Vgl. Anm. 1 und Kat. Kassel 1997, S. 118f.

6 Vgl. Kat. Kassel 1997, S. 119f. (mit älterer Literatur) sowie Flechsig 1928, Bd. 1, S. 363; Anzelewsky 1971, S. 31, 84, und 163f., Nr. 63; Mende 1976, S. 68; Strieder 1996, S. 232; Anzelewsky 2000; Schmid 2003, S. 107.

7 Strieder 1996, S. 232.

8 Mende 1976, S. 68.

9 Siehe Panofsky 1955/2005, S. 42f. und 211; Rebel 1996, S. 93-124; Hutchison 1994, S. 89; Schauerte 2012, S. 100-102. Grebe 2006 lässt die Bildnisse unerwähnt.

10 Vgl. u.a. Ausst. Kat. Nürnberg 1971, S. 279 und 281, Nr. 525; Ausst. Kat. Nürnberg 1986, Nr. 111; Ausst. Kat. Nürnberg 2012; Ausst. Kat. Frankfurt am Main 2013.

11 Vgl. u.a. Buchner 1953, S. 157 und 215, Nr. 178; Dülberg 1990, S. 78f. und S. 298, Nr. 343; Eberlein 2003; Ausst. Kat. München 2011, S. 86, Nr. 38; Bournet-Bacot 2014, S. 98-102.

12 Vgl. Strieder 1993, S. 105; Bonnet/Kopp-Schmidt 2014, S. 86.

13 Vgl. Hirschfelder 2012a, S. 101, deren Beitrag sich der Werkgruppe in Auswahl erstmalig annahm. Ich danke Dr. Dagmar Hirschfelder für den diesbezüglichen inhaltlichen Austausch.

14 Siehe Kat. Kassel 1997, S. 110-120.

15 Vgl. Grimm 2002, S. 41-45 und Hirschfelder 2012a, S. 111-113.

16 Vgl. Schmid 2003; Eser 2011 und v.a. Ausst. Kat. Nürnberg 2012.

17 Vgl. Hirschfelder 2012a, S. 108-113; Hirschfelder 2012b, S. 346-355; Schmidt 2016 sowie Schmidt 2018.

»ein Frauenzimmernskopf mit einem Schleyer...«:[18] Die Provenienz der Kasseler Tafel

In den Beständen der landgräflichen Kunstsammlungen in Kassel ist das Bildnis Elsbeth Tuchers bereits frühzeitig nachgewiesen. Angekauft wurde es möglicherweise schon unter Landgraf Moritz von Hessen (1572-1632), dessen Interesse an Werken Dürers belegt ist und der darüber hinaus Geschäftsbeziehungen zum Tucherschen Handelshaus unterhielt.[19] Diese Vermutung muss jedoch ebenso Spekulation bleiben wie die mutmaßliche gemeinsame Erwerbung mit Michael Wolgemuts Bildnis von Elsbeths Schwiegermutter Ursula Tucher geb. Harsdörffer (Abb. 14).[20] Die erste schriftliche Erwähnung unseres Gemäldes in Kassel findet sich im Inventar des Kunsthauses von 1747 (begonnen 1744) als Eintrag Nummer 783 unter der Bezeichnung »ein Frauenzimmernskopf mit einem Schleyer auf dem Kopf, auf Holtz, ohne Rahmen von Alb Dieren«.[21] Die explizite Nennung des Künstlernamens, wenn auch nicht unüblich verfremdet, lässt vermuten, dass hier vor allem die Autorschaft Dürers als hervorhebenswert angesehen wurde. Demgegenüber wird das Bildnis jedoch weder im Porträtinventar von 1749 erwähnt, noch im ersten gedruckten Gemäldekatalog Simon Causids von 1783, welcher die Bestände der Gemäldegalerie im Herrschaftlichen Palais und den angrenzenden Räumen der Kunstakademie sowie dem Residenzschloss verzeichnet. Erst im Inventar von 1816f. wird das Bild wieder namentlich genannt. Dies könnte wiederum darauf hindeuten, dass es vorher nicht in die 1751 errichtete Gemäldegalerie überführt wurde, sondern stattdessen im Kunsthaus oder in fürstlichen Privaträumen verblieb, was wiederum Aufschluss über die unter Landgraf Wilhelm VIII. (1682-1760) geringere Wertschätzung der altdeutschen Kunst geben mag.[22] Unzweifelhaft ist aufgrund der bekannten Daten jedoch die Zugehörigkeit des Porträts zum alten landgräflichen Besitz, der den Kernbestand der heutigen Gemäldegalerie Alte Meister bildet.

Im Unterschied zur guten Dokumentation des Kasseler Bildes liegt die Geschichte des verlorenen Bildpendants mit der Darstellung Niclas Tuchers überwiegend im Dunkeln: Eine Vorstellung vom Aussehen des Ehemanns gibt das sog. *Große Tucherbuch*, eine prunkvoll bebilderte Familienchronik von 1590.[23] Dort sind sämtliche männliche Familienmitglieder bis dato mitsamt ihren Ehefrauen in ganzfigurigen Paardarstellungen abgebildet, die zumeist auf älteren Porträtvorlagen basieren. Auf Folio 76 recto sind Niclas und seine Gattin Elsbeth dargestellt

Abb. 3
Das Große Tucherbuch, Folio 76 recto mit ganzfigurigen Darstellungen von Niclas II. und Elsbeth Tucher (Miniaturen von Jost Amman / Georg Hertz), 1590, Nürnberg, Stadtarchiv

Abb. 4
Johann Friedrich Leonarts: Bildnis des Niclas Tucher, 1668, Wolfenbüttel, Herzog August Bibliothek

(Abb. 3),[24] deren Kopf so offensichtlich nach dem Vorbild des Dürer-Gemäldes gestaltet ist, dass man auch für das Bildnis des Mannes getrost dieselbe Quelle vermuten darf. Die seitenverkehrte Wiederholung von dessen Brustbild aus dem *Großen Tucherbuch* zeigt eine 1668 datierte Radierung des thüringischen Kupferstechers Johann Friedrich Leonarts (Abb. 4),[25] der zwischen 1662 und 1673 rund 200 Vertreter namhafter Nürnberger Patrizierfamilien porträtierte. Kann man folglich davon ausgehen, dass beide Porträts bei Entstehung des *Großen Tucherbuches* noch gemeinsam in Nürnberg vorhanden waren, worauf sich die Spur des Männerbildnisses bis zum heutigen Tag verlor, so müssen sie im Laufe der nächsten knapp 150 Jahre, d.h. spätestens bis zur Erwähnung des Frauenporträts im Kasseler Inventar von 1747, getrennt worden sein. Namentlich taucht das Niclas-Gemälde danach noch in einer bislang unbekannt gebliebenen Quelle auf, einer 1819 veröffentlichten, undatierten Reisebeschreibung von Schloss Blankenburg im Harz. Interessanterweise ist es dort gemeinsam mit Michael Wolgemuts Bildnis von Niclas' Vater Hans Tucher erwähnt: »Zwei Köpfe aus altdeutscher Schule, Hans Tucher vom Jahr 1480 und Niclas Tucher von Jahre 1499«.[26] Zwar sind Benennung und Datierung der beiden Bildnisse (fast) akkurat, und auch kann das Bildnis Hans Tuchers zum Zeitpunkt des Berichtes noch nicht sicher im Tucherschen Familienbesitz nachgewiesen werden, so dass zumindest die theoretische Möglichkeit seiner Anwesenheit im Harz gegeben ist.[27] Jedoch ist weder die Verlässlichkeit der äußerst knappen Quelle überprüfbar, noch hat sich in den Sammlungen der Welfen, deren Bestände sich ehemals unter anderem in Schloss Blankenburg befanden, irgendeine Spur der beiden Gemälde erhalten. So lässt sich heute nicht mehr ermessen, ob es sich bei diesen um heute unbekannte Kopien nach den Originalen handelte, um Fälschungen oder Arbeiten des Dürer-Umkreises, oder ob womöglich das Vorbild der beiden Tucher-Frauen zweier Generationen aus dem Kasseler Galeriebestand die Phantasie des Autors oder dessen Erinnerung im Moment der Niederschrift angeregt haben mag.

18 Kunsthausinventar 1747, Nr. 783. Archiv, MHK.
19 Vgl. Ausst. Kat. Lemgo/Kassel 1997, S. 263f., Nr. 296.
20 Vgl. Herzog 1969, S. 12 und S. 78, Nr. 4. Erwerbungsdaten sind auch für Wolgemuts Bildnis nicht überliefert, das erstmalig im Inventar von 1816f. als »Altdeutsche Schule« erwähnt wird. Siehe Kat. Kassel 1997, S. 307.
21 Vgl. Herzog 1969, S. 12, 14f. und S. 74, Nr. VIII. Zur Provenienz und technischen Angaben siehe nachfolgend außerdem Kat. Kassel 1996, S. 108 und Kat. Kassel 1997, S. 112.
22 Für diese Einschätzung und die gemeinsame Diskussion der Inventareinträge danke ich Dr. Justus Lange, Kassel.
23 Siehe Anm. 55.
24 Pergament, Nürnberg, Stadtarchiv; Tucherbuch 2004 und Kat. Kassel 1997, S. 113, Abb. 74 (schwarz-weiß).
25 Radierung, 10,2 x 6,4 cm (Bildmaß), Wolfenbüttel, Herzog August Bibliothek; http://portraits.hab.de/werk/20509/. Die Inschrift lautet »NICOLAUS TUCHER | Natus Anno 1464. De= | natus Ao. 1521.« Zu Leonart vgl. Nürnberger Künstlerlexikon, Bd. 2, S. 913. Fast alle Tucher-Bildnisse der Reihe bedienen sich der Vorlagen des *Großen Tucherbuches*.
26 Siehe Johann Gustav Büsching: *Reise durch einige Münster und kirchen des nördlichen deutschland im spätjahr 1817.* Leipzig 1819, S. 211. Die gleiche Beschreibung ist wiederholt in der *Zeitung für die elegante Welt*, Nr. 248, 17. Dezember 1824, in Sp. 1991 unter »korrespondenzen und notizen. Vom harz«, wobei wiederum auf einen Eintrag in Ludwig Ferdinand Niemanns *Handbuch für Harzreisende* (dort S. 40f.) verwiesen wird.
27 Für diese Angaben danke ich Dr. Claudia Däubler-Hauschke von der Tucher'schen Kulturstiftung in Nürnberg.

Der Ort des Bildes: Nürnberg, das Patriziat und die Familie Tucher

Ist der Weg des Kasseler Bildes sammlungsgeschichtlich relativ gut erschlossen, so sind dessen lokal- und familienhistorische Ursprünge bislang wenig nachvollzogen worden, obwohl in ihnen maßgebliche Voraussetzungen für das Verständnis von Entstehung, Kontext und Gestalt des Gemäldes zu finden sind. Einen zentralen Faktor bildet der Standort Nürnberg: Um 1500 war die Stadt mit 50.000 Einwohnern nicht nur eine der größten, sondern auch eine der wohlhabendsten und einflussreichsten des deutschen Reiches.[28] Als Erlass-Ort der Goldenen Bulle (1356), Aufbewahrungs- und Weisungsort der Reichskleinodien (seit 1423) und Stätte der Reichstage kam ihr unter den anderen Reichsstädten eine herausgehobene Bedeutung zu. Diese zeigt sich ebenso im Aufstieg zur Wirtschaftsmetropole im Verlauf des 15. Jahrhunderts: Als Knotenpunkt von zwölf Fernhandelsstraßen war Nürnberg ein internationales Handelszentrum mit weitreichender merkantiler Vernetzung und eigenen Zollprivilegien. Eine überregionale Nachfrage genoss das einheimische, hochspezialisierte Handwerk: In der Metallherstellung und -verarbeitung nahm die Stadt an der Pegnitz im Reich die führende Rolle ein, daneben bildeten die Textilverarbeitung, Papierherstellung und ab 1470 auch der Buchdruck sowie der Import von Tuchen und zumeist italienischen Luxusgütern weitere zentrale Wirtschaftsbereiche. Dank der reichspolitischen und merkantilen Bedeutung des Standortes verkehrte eine internationale und wohlhabende Klientel in der Stadt, deren führende Bevölkerungsschicht die Kaufleute darstellten. Die sozialen, gesellschaftlichen und wirtschaftlichen Bedingungen Nürnbergs bedingten ein ebenso fruchtbares Milieu für Kunst und Kunsthandwerk, die gleichfalls einen wichtigen ökonomischen Faktor boten: die Stadt war ein bedeutendes Kunstzentrum, dessen Produkte als Exportware weitverbreitetes Ansehen und Einfluss genossen, und das zahlreiche Künstler zur Ausbildung und Arbeit anzog.[29] Das fehlende Zunftwesen und die Niederlassungsfreiheit für auswärtige Künstler wirkten sich zudem belebend auf den Austausch, die Innovation und die Konkurrenz innerhalb der Künste aus.

Die Nürnberger Gesellschaft bestand im Wesentlichen aus drei Ständen:[30] den Handwerkern, den einfachen Bürgern und Kaufleuten und schließlich der Oberschicht des Patriziats. Hierbei handelte es sich um eine Gruppe ehrbarer alteingesessener Geschlechter, die im Nürnberger

Rat die Stadt regierten. Der Größere Rat bestand aus ca. 200 Genannten aus den Reihen ehrbarer Bürger, die ohne Entscheidungsbefugnis vor allem als Zeugen oder Eidhelfer fungierten. Die politische Macht lag hingegen in den Händen des Kleineren Rates, der sich gemäß dem Tanzstatut von 1521 exklusiv aus Vertretern von 42 Nürnberger Patrizierfamilien zusammensetzte. Die vorhandenen 42 Ratssitze verteilten sich auf acht eher nominelle Vertreter des Handwerks und die wichtigeren Positionen der jeweils 13 jüngeren und 13 älteren Bürgermeister, deren Aufgaben und Ämter im Wahlverfahren bzw. turnusmäßig vergeben wurden. Aus den Reihen der letztgenannten ranghöheren Ratsvertreter rekrutierten sich die sieben älteren Herren (Septemvirn), deren Ausschuss die politische Entscheidungsgewalt besaß. Ihr Kreis stellte wiederum die beiden Vordersten Losunger, die als Verwalter der Finanzgeschäfte schließlich das ranghöchste Amt in der Reichststadt bekleideten.

Zu den alteingesessenen Patrizierfamilien der Stadt gehörten auch die Tucher:[31] Im Jahr 1309 erwarb Berthold I., Sohn des Stammvaters Conrat (gest. 1326), das Nürnberger Bürgerrecht und läutete damit den stetigen sozialen, wirtschaftlichen und politischen Aufstieg der Tucher zu einer der ersten Familien der Stadt ein. Ab 1440 ist die Tuchersche Handelsgesellschaft belegt, die »zu den großen und stabilsten Nürnberger Unternehmen«[32] zählte. Die Gesellschaft betrieb einen international weitverzweigten Fernhandel mit Mitteleuropa, vor allem mit Italien und Frankreich, in deren Metropolen Venedig, Genf, Lyon und Antwerpen sie Niederlassungen unterhielt. In den Räumen des Fondaco dei Tedeschi, der deutschen Handelsvertretung in Venedig, war das Unternehmen von 1440 bis 1575 dauerhaft präsent. Die Tucher handelten mit einem breiten Sortiment an Gütern und Rohstoffen: Metalle und Metallwaren, Gewürze sowie Seiden- und Samtstoffe aus Italien und andere Tuchwaren, böhmische Häute und Pelze und weitere Luxusartikel bescherten der Gesellschaft vor allem im 15. und 16. Jahrhundert große wirtschaftliche Erfolge. Seit 1340 waren Mitglieder der Familie im Kleineren Rat auch maßgeblich an der Stadtregierung beteiligt, und seit 1430 waren dort über Generationen hinweg dauerhaft zwei Tucher zum Teil im höchsten Regierungsamt vertreten.

In der vierten Generation teilte sich das Geschlecht mit den Nachfahren von Hans II. und Endress I. in eine bis heute bestehende jüngere und ältere Linie auf. Der letzteren kam sowohl nach politisch-gesellschaftlichem Rang als auch wirtschaftlichem Ruhm die größere Bedeutung zu. Ihre Mitglieder nahmen beinahe traditionell die bedeutenderen Positionen im Kleineren Rat ein, so war das höchste Regierungsamt des Vordersten Losungers über Generationen hinweg durch Nachkommen von Hans I. besetzt. Unter diesen ist vor allem Anton II. (1458-1528) zu nennen, der als gleichermaßen einflussreicher Politiker und erfolgreicher Kaufmann eine der herausragendsten Persönlichkeiten der Tucher-Dynastie darstellte. Neben seiner Tätigkeit als hochgeschätztes Ratsmitglied leitete er gemeinsam mit seinen Vettern Hans IX. und Martin I. die Tuchersche Handelsgesellschaft, die unter seiner Ägide florierte und ihren Aktionsradius Richtung Frankreich erweiterte. Die beiden akademisch ausgebildeten Geistlichen Lorenz I. (1447-1503) und Sixtus I. (1459-1507), Bruder bzw. Vetter Antons II., bekleideten schließlich als Domprobste von St. Lorenz hintereinander das wichtigste Kirchenamt der Reichsstadt, in deren Geistesleben vor allem Sixtus eine hervorragende Position einnahm.[33]

Von den Mitgliedern der jüngeren Tucher-Linie[34] hatte Endress II. (1423-1507) als Vorderster Alter Genannter des Kleineren Rates, mehr noch aber im bedeutenden Amt des Ratsbaumeisters eine achtbare Stellung erworben. Sein Sohn Endress III. machte sich später als Kriegshauptmann im sog. Landshuter Erbfolgekrieg (1504/05) verdient und stieg in den 1520er Jahren bis in den Kreis der älteren Ratsherren auf. Der bedeutendste Repräsentant des jüngeren Familienzweiges war im 15. Jahrhundert jedoch Hans VI. (1428-1491), der Schwiegervater Elsbeth Tuchers: Er wurde in Venedig auf den Kaufmannsberuf vorbereitet, den er später dort und in Lyon ausübte, und erwarb darin erheblichen Wohlstand. Nach dem Ausscheiden seines Bruders Endress II. trat er 1476 in den Kleineren Rat der Stadt ein, wo er in der beratenden Position des Alten Genannten, als Junger Bürgermeister und schließlich von 1481 bis in das Jahr vor seinem Tod als Alter Bürgermeister gehobene Positionen bekleidete. Im Nürnberger Verwaltungsdienst betreute Hans u.a. den Auf- und Ausbau der Ratsbibliothek, eine Tätigkeit, die mit seinen humanistisch-bibliophilen Interessen korrespondierte. Größere Bekanntheit erlangte er auch durch seine Pilgerfahrt ins Heilige Land, wohin er 1479 gemeinsam mit seinem Ratskollegen Sebald Rieter aufbrach. In Jerusalem zum Ritter des Heiligen Grabes geschlagen, kehrte er 1480 unter feierlichem Empfang in seine Heimatstadt zurück. Der von ihm verfasste Pilgerbericht ging ab 1482 in Druck, erfuhr bis ins 16. Jahrhundert zahlreiche Neuauflagen und gilt heute als bedeutsames Exempel der frühneuzeitlichen Reiseliteratur.

Von Hans' insgesamt vier Söhnen und fünf Töchtern erreichten jeweils nur zwei das Erwachsenenalter. Die Kinder entstammten seiner ersten

Ehe mit Barbara Ebner (gest. 1476), nach deren Tod er sich im Folgejahr mit Ursula Harsdörffer (gest. 1504) neu vermählte. Gemeinsam mit seiner zweiten Frau ließ er sich 1478 bzw. 1481 von Michael Wolgemut in zwei Einzelbildnissen malen (Abb. 14). Diesem Vorbild folgten auch seine beiden einzigen überlebenden Söhne, Hans XI. (1456-1536) und Nikolaus (Niclas) II. (1464-1521), die etwa 20 Jahre später gemeinsam mit ihren Frauen von Albrecht Dürer porträtiert wurden.

28 Siehe nachfolgend Wendehorst 1986; Strieder 1993, S. 50-78; Ausst. Kat. Nürnberg 2002; Schmid 2003, S. 6-12 und 556-561; Meyer 2009; Diefenbacher 2010; Ausst. Kat. Nürnberg 2012; Kirchhoff 2016.

29 Vgl. Suckale 2009, Bd. 1, S. 8-11 und 282-289. In den Nürnberger Akten von 1460-1490 sind 60 am Ort tätige Maler genannt, ein Drittel davon auswärtige Künstler. Siehe ebd.

30 Siehe nachfolgend Rebel 1996, S. 62-65; Diefenbacher 2010; Fleischmann 2008, Bd. 1.

31 Siehe nachfolgend Grote 1961; Tucherbuch 2004; Fleischmann 2008, Bd. 2, S. 1003-1042; Diefenbacher/Berninger/Swoboda 2012; Landois 2014, S. 11-29.

32 Diefenbacher 1997, S. 78. Zur Handelsgesellschaft siehe Diefenbacher 1998 und ders. 2007, S. 49-80.

33 Zu Sixtus Tucher vgl. Landois 2014.

34 Ungeachtet der insgesamt reichen Quellenlage zur Familie Tucher haben sich zu den um 1500 aktiven männlichen Familienmitgliedern insbesondere der jüngeren Linie kaum aussagekräftige Quellen erhalten. Auch die Tuchersche Handelsgesellschaft sowie die Nürnberger Stadtverwaltung müssen bis auf einzelne Ausnahmen (u.a. Diefenbacher 1998, Pfotenhauer 2016) weitestgehend als Desiderate der Forschung gelten. Ich danke Dr. Antonia Landois, Stadtarchiv Nürnberg, für diese Angaben.

»...hat zur Ehe eine Puschin«:[35] Elsbeth und ihre Verwandten

Niclas II. Tucher[36], den jüngeren Sohn von Hans VI., beschreibt das *Große Tucherbuch* als »ein kurtz gestossen dick Mann eines gelben schlechten [= schlichten] Haars«, der nach seiner frühen Geburt in »eittel neugebacken layben brodts außgebrüttet« wurde.[37] Wie sein Vater war er als Kaufmann für die Tuchersche Handelsgesellschaft tätig. Es liegt daher nahe, dass auch er wie dieser, wie sein Bruder und seine Vettern zuvor zur Ausbildung ins Ausland geschickt wurde, vermutlich nach Italien oder Frankreich. Wie für die Mitglieder der Geschlechter üblich, wurde er nach seiner Heirat 1492 Genannter des Größeren Rates. In städtischem Dienst versah Niclas von 1510-1519 überdies, wie vor ihm sein Schwiegervater, das Amt des Zeugmeisters, dem eine zentrale Aufgabe bei der Verwaltung des städtischen Kriegsgeräts zukam.[38]

Am 10. November 1491 heiratete Niclas Tucher die neun Jahre jüngere »Junckfrawuwen Elisabethen Hannsen Puschen seeligen Tochter«[39], deren Konterfei das Kasseler Bildnis ziert. Elisabeth[40] (Elsbeth) Pusch (1473-1517) war die Tochter von Hans Pusch (gest. 1473) und dessen zweiter Frau Elisabeth geb. Zollner (gest. 1489), die beide zum Zeitpunkt der Eheschließung ihrer Tochter bereits verstorben waren.[41] Ihr Vater hatte 1453 das Bürgerrecht in Nürnberg erworben, wo er als Kaufmann und Zeugmeister der städtischen Mittelschicht angehörte. Die somit bürgerliche Herkunft der »Tucherin«, von der Forschung stets hervorgehoben, stellte im Hinblick auf die Nürnberger Heiratspraxis im 15. Jahrhundert jedoch keinen außergewöhnlichen Fall dar.[42] Auch die drei Brüder Elsbeth Tuchers nahmen achtbare gesellschaftliche Positionen ein und waren auf unterschiedliche Weise ebenfalls mit der Familie Tucher verbunden: Der Kaufmann Caspar unterhielt Handelsbeziehungen zu Anton II. Tucher, der Mediziner Sebald, wie sein älterer Bruder Genannter des Größeren Rates, war zur Zeit des Rektorats Sixtus Tuchers an der Universität Ingolstadt immatrikuliert gewesen;[43] der jüngste Bruder Hans war als Kürschner tätig. Vom Vater erbten die vier Kinder u.a. ein Haus gegenüber der Pfarrkirche St. Lorenz, das sie 1498 gemeinsam veräußerten.[44]

Da die Ehe mit Elsbeth kinderlos blieb, hatte Niclas seinen acht Jahre älteren Bruder Hans XI.[45] als Erben eingesetzt, einen »dür und gesundt Mann, überauß mäßig/ ordentlich/ fleissig und guetter gedechtnus«,[46] der als einer der ältesten Tucher im Alter von 79 Jahren starb. Hans wurde in Venedig zum Kaufmann ausgebildet, wo er sich um die Geschäfte des Vaters kümmerte. Anstelle dieses traditionellen Berufsweges entschied er sich jedoch für eine Tätigkeit als Steuerbeamter und besetzte in Nürnberg die verantwortungsvolle und angesehene Position des Schreibers und Buchhalters der Losungsstube. Diese oberste Finanzbehörde der Stadt verwahrte die städtischen Gelder, Amtssiegel und internen Akten der Stadt und rekrutierte ihre Mitarbeiter aus den Reihen des Patriziats.[47] Wie sein jüngerer Bruder war auch Hans von 1483 bis zu seinem Tod Genannter des Größeren Rates. Aus der 1482 geschlossenen Ehe mit Felicitas Rieter (1466-1514), die ebenfalls einer Nürnberger Patrizierfamilie entstammte, gingen 14 Kinder hervor, von denen der jüngere Sohn Jakob I. dem Vater beruflich nachfolgte und es zum ältesten Losungsschreiber brachte.

Aus respektablen, bürgerlichen Verhältnissen stammend, gehörte Elsbeth Tucher zum Entstehungzeitpunkt des Kasseler Porträts bereits seit mehreren Jahren einer der ersten Nürnbergischen Patrizierfamilien an, welche die Geschicke der Stadt und ihrer Wirtschaft in maßgeblicher Weise mitprägte. Ihr Ehemann Niclas erscheint im familiären Kontext betrachtet ebenso wie sein Bruder Hans als typischer, jedoch eher durchschnittlicher Vertreter der Familie. Der Werdegang der beiden Brüder entspricht der Mehrzahl der männlichen Tucher, die im Ausland eine Ausbildung zum Kaufmann genossen, sich im familieneigenen oder fremden Geschäft betätigten oder aber Karriere in der Politik, in Hans' Fall in der Stadtverwaltung, machten. Der familiären Tradition gemäß etabliert und gesellschaftlich angesehen,[48] traten die Brüder, anders als ihre gleichaltrigen Verwandten des älteren Zweigs der Familie, gleichwohl weder durch wichtige politische Ämter[49] noch durch außergewöhnliche Leistungen oder Schriftzeugnisse hervor. In ihrer Generation können sie damit als repräsentativ für den insgesamt weniger prominenten jüngeren Zweig des Tucher-Clans gelten, aus dem ihr Vater Hans VI. als bedeutsamste Figur hervorstach, sowie auch für die Mehrheit der zahlreichen Familienmitglieder insgesamt.

Status und Stellung von Hans XI. und Niclas II. Tucher innerhalb ihres Geschlechts und der Nürnberger Gesellschaft erweisen sich über das familiengeschichtliche Interesse hinaus auch als relevant im Hinblick auf die an Dürer vergebenen Porträtaufträge und deren Verhältnis zu anderen innerfamiliären Aktivitäten der *Memoria*-Pflege, wie nachfolgend zu zeigen ist.

35 Siehe Angaben unter Anm. 36.

36 Siehe Tucherbuch 2004, Fol. 76r-v; StadtAN E 49/III Nr. 1 (ca. 1509-85), 266r (»Niclas T., hat zur Ehe eine Puschin, ist Zeigmeister des Geschloß, wohnt hinterm Tuchhaus«), Stadtarchiv Nürnberg. Weitere Quellen geben Aufschluss über Niclas' Tätigkeiten als Nachlassverwalter oder Vormund, kleinere Rechnungsgeschäfte und Urkunden über die Teilung des väterlichen Erbes, bei der Niclas ein Nebenhaus in der ehemaligen Hundsgasse erbte, vgl. Datenbank Stadtarchiv Nürnberg.

37 Tucherbuch 2004, Fol. 76v.

38 Vgl. Dotzauer 1904, S. 167-170, demzufolge das Amt zumeist von Ingenieuren mit umfassender Kenntnis der Artillerie ausgeübt wurde.

39 Tucherbuch 2004, Fol. 76v.

40 Siehe nachfolgend Grote 1961, S. 74, Datenbank Stadtarchiv Nürnberg.

41 Für die Bereitstellung von und Einsichtnahme in die Archivalien bzw. Datensätze zur jüngeren Linie der Familie Tucher sowie weitere hilfreiche Auskünfte gilt mein Dank Dr. Antonia Landois, Stadtarchiv Nürnberg.

42 Nach Landois 2014, S. 27f. »fanden von 77 belegten Eheschließungen männlicher Tucher zwischen 1400 und 1600 [...] nur 33 mit Frauen aus den Nürnberger ratsfähigen Geschlechtern« statt. »Bei den 44 restlichen Eheschließungen stammten die Frauen etwa zu gleichen Teilen aus dem ehrbaren Stand der Stadt oder aus wohlhabenden Familien anderer Städte, mit denen die Tucher in Handelsbeziehungen standen [...].« Weitere Beispiele der Familie Tucher sind Hans II., der Großonkel von Niclas, der 1408 mit Hedwig Valzner die Tochter eines oberpfälzischen Grundbesitzers ehelichte, und Lorenz II., dessen Gattin Katharina Straub (Heirat 1517) die Tochter eines Nürnberger Kaufmanns war. Siehe Schwemmer 1962, S. 23.

43 Vgl. Landois 2014, S. 112, Anm. 453 und S. 383, Anm. 5.

44 Siehe Stadtarchiv Nürnberg, E 56/I.

45 Siehe Tucherbuch 2004, Fol. 103r-106v; Stadt AN E 49/III Nr. 1 (ca. 1509-78) 265v (»Hans T. ist Losungsschreiber, hat zu der Ehe ein Riterin, wohnt am Milchmarkt [dem Hauptsitz der Familie, Anm. d. V.])«, Stadtarchiv Nürnberg.

46 Tucherbuch 2004, Fol. 103v.

47 Vgl. Grote 1961, S. 51; Fleischmann 2008, Bd. 1, S. 83f. und 189.

48 Ein Schlaglicht auf den sozialen Status werfen die exklusiven Einladungs- und Tischlisten des Probstes Sixtus Tucher, die beide Brüder wiederholt aufführen. Siehe Landois 2014,S. 264-273 und 333-352.

49 Gemäß der Begrenzung von maximal zwei Mitgliedern einer Familie im Kleineren Rat war den Brüdern der Zugang in den inneren Regierungszirkel nach 1491 ohnehin verwehrt.

Repräsentation und Identität: *Memoria* im Nürnberger Patriziat und bei der Familie Tucher

Parallel zur wachsenden Prosperität der Stadt Nürnberg und ihrer hochrangigen Vertreter im 15. Jahrhundert ist auch eine Zunahme patrizischer Gedächtniskultur zu beobachten, die sich auf unterschiedlichen Ebenen entfaltete: Beginnend mit dem ältesten überlieferten Nürnberger Exemplar, Ulman Stromers *Püchel von meim geslecht und von abentewr* (1360-1403) mehrten sich ab dem 15. Jahrhundert die Schriftzeugnisse der Haus-, Familien- oder Geschlechterbücher,[50] u.a. der Paumgartner (1462-1463), Haller (1437) und Behaim (1488). Die Bücher verzeichneten autobiographische, genealogische und häufig auch reichsstädtische Nachrichten und erfuhren im 16. Jahrhundert eine zunehmend prunkvolle Ausstattung und Bebilderung.[51] Parallel hierzu entfaltete sich eine »dichte Nürnberger Stiftungslandschaft«[52] in Gestalt von finanziellen Spenden, Gebeten und der künstlerischen Ausstattung von Kirchenräumen, sowie im privaten Bereich in Form von Andachtsbildern oder der jungen Gattung des Porträts. In all ihrer Vielfalt waren diese Memorialzeugnisse gemeinsamen Zielen verpflichtet: Zum einen der Bewahrung des persönlichen und familiären Andenkens (lat. *memoria*), zum anderen der repräsentativen Selbstdarstellung. Im von Aufstieg, Wohlstand und Prestige geprägten Nürnberg fungierten sie auf diese Weise als Agenten der öffentlichen wie privaten Selbstbestätigung und als Kommunikatoren von Status und Ansehen. Damit bildeten sie einen wichtigen Baustein der lokalen Identitätsbildung.[53]

Im Hinblick auf die *Memoria* hatte sich das Geschlecht der Tucher seit dem 15. Jahrhundert durch besonderen Einsatz ausgezeichnet: Dieser zeigte sich zum einen in den zahlreichen und umfangreichen schriftlichen Aufzeichnungen des Geschlechts, die alltägliche, biographisch-familiäre und zeitgeschichtliche Nachrichten zusammenstellten:[54] Hierzu gehören namentlich das auf Berthold III. und Endress II. zurückgehende *memorial puch* (1386-1454), die *Abschrift eins memorial oder handbüchleins* Endres I. (1421-1440) und die von verschiedenen Familienautoren kompilierten *Jahrbücher* (bis 1499), gefolgt im 16. Jahrhundert vom *Haushaltsbuch* Anton II. (1507-1523). Herausragende Tuchersche Schriftzeugnisse bildeten zudem das *Baumeisterbuch* Endres' II. (1464-1470/75), das als Handbuch des städtischen Bauwesens eine wichtige lokal- und kulturgeschichtliche Quelle darstellte, und das erwähnte *Pilgerbuch* Hans VI. Den Höhepunkt schriftlicher *Memoria* markierte schließlich

Abb. 5
Veit Hirsvogel d.Ä. (nach Albrecht Dürer): Sixtus Tucher am offenen Grab, 1502, Nürnberg, Germanisches Nationalmuseum

das am Ende des 16. Jahrhunderts entstandene prunkvolle *Große Tucherbuch* (1590) auf Pergament mit umfangreichen biographischen Angaben, Stammbäumen und Bildminiaturen der Familienmitglieder.[55] Die Tucher traten weiterhin durch eine Vielzahl geistlicher und kirchlicher Stiftungen hervor,[56] zu denen neben karitativen Zuwendungen etliche liturgische Geräte, Glasfenster, Bildwirkereien etc. für die Pfarrkirchen St. Sebald und St. Lorenz gehörten.[57] Zu den visuellen Stiftungen zählten außerdem Epitaphien, u.a. für Adelhaid Tucher geb. Gundlach (1483) und Barbara Tucher geb. Ebner (1485), die Ehefrauen der Brüder Endress II. und Hans VI. Im Jahr 1513 schließlich führte Hans von Kulmbach nach einem Entwurf Dürers ein Epitaph für Domprobst Lorenz I. aus. Neben Werken des öffentlichen Raumes entstanden andere, für die ein eher häuslicher bzw. privater Kontext belegt oder anzunehmen ist. Hierzu gehörten zahlreiche Porträts: Erhalten sind korrespondierende Einzelbildnisse, Doppelbildnisse und Diptychen von Vater und Sohn Berthold IV. und V., beide ebenfalls Kaufleute, und ihren Ehefrauen (Abb. 31 und 32), von Hans VI. und Ursula Tucher geb. Harsdörffer (1478 und 1481), gemalt von Michael Wolgemut (Abb. 14), sowie von Hans' Söhnen mit Gattinnen, die der Wolgemut-Schüler Albrecht Dürer 1499 in seinen beiden Diptychen festhielt (Abb. 1 und 23). Zu ergänzen sind ein Bildnis der Helene Scheurl (1491), Tochter Herdegens I. und Mutter des Ratskonsulenten und Tucher-Chronisten Christoph Scheurl, sowie, im 16. Jahrhundert, Hans Schäuffeleins Bildnisse von Lorenz II., dem späteren Erbauer des Tucherschlosses (1533-1544), und seiner Frau Katharina Tucher geb. Straub (1534). Weitere Porträtdarstellungen haben sich im Medium der Glasmalerei erhalten: Eine für die Fürther Hauptkirche entstandene Glasscheibe mit einer Darstellung Lorenz I. (Abb. 30) sowie die Dreipassscheibe mit der Figur Sixtus I.[58] von 1502 (Abb. 5), die Veit Hirsvogel nach einem Entwurf Dürers für das Wohnhaus des Probstes schuf. Dieser Aufstellung folgend, war es nach heutigem Überlieferungsstand vornehmlich die jüngere Linie der Tucher, die der »Privatisierung« der *Memoria* im Bildnis zugetan war.

Wenngleich Vielfalt und Umfang der Tucherschen Stiftungen hier nur summarisch erfasst werden können, verdienen die Aktivitäten von Hans VI. in unserem Zusammenhang genauere Berücksichtigung: Unter seinen Verwandten zeichnete sich der Jerusalem-Fahrer seinerzeit durch eine besonders intensive, alle genannten Bereiche abdeckende *Memoria*-Pflege aus:[59] Bereits vor seinem weithin bekannten Pilgerbuch hatte sich Hans als Chronist des eigenen wie des städtischen Lebens betätigt.[60] Die Nürnberger Zweitauflage seines Reiseberichts, die er nach den Mängeln der ersten Augsburger Edition veranlasste, mag bereits auf das persönliche Interesse des Autors an den eigenen historiographischen Aufzeichnungen verweisen.[61] Verschiedene Bildwerke sind ebenfalls mit Hans' Auftrag verbunden: Wohl aus Anlass seiner Neuvermählung im Jahr 1479 entstanden das Bildnis seiner zweiten Ehefrau Ursula Harsdörffer (1478) und sein eigenes Porträt (1481), das jedoch erst nach der Rückkehr von der Pilgerfahrt gemalt wurde. In St. Sebald hat sich, ehemals in prominenter Platzierung neben der Sakristei, eine Tafel mit Szenen der Kreuztragung und Kreuzigung aus der Werkstattgemeinschaft Wolfgang Katzheimers und des Meister L.Cz.[62] von 1485 erhalten (Abb. 6). Gemäß einer früheren Sterbeinschrift handelt es sich hierbei um ein spätes Epitaph für Hans' erste Frau, Barbara Ebner (gest. 1476), oder um eine Votivtafel zur Erinnerung an Hans' Pilgerfahrt. Auf diese verweisen die Zeichen der auf der Reise erworbenen Ritterorden, die sich rechts unten neben den Familienwappen der Tucher,

Abb. 6
Wolfgang Katzheimer / Meister L.Cz. (Werkstattgemeinschaft): Votivtafel des Hans VI. Tucher mit Kreuztragung und Kreuzigung, 1485, Nürnberg, St. Sebald

Abb. 7
Detail aus Abb. 6
(Hans VI. Tucher mit Familie als Stifter)

Ebner und Harsdörffer befinden. Auf der gegenüberliegenden Seite ist die Familie des Stifters zu sehen, von links die beiden Ehefrauen und Töchter sowie Hans und seine Söhne, von denen die beiden ältesten Hans und Niclas direkt neben dem Vater erscheinen (Abb. 7).[63] Auch wenn man hier kaum von Porträtdarstellungen sprechen möchte, ist beim Gesicht des Vater doch eine gewisse Wiedererkennbarkeit zum Bildnis Wolgemuts gegeben, und die lange Nase des Sohnes Hans findet sich später ebenso markant auf Dürers Bildnis wieder. Ebenfalls im Auftrag Hans Tuchers entstanden zwei Glasgemälde mit dem Tucher-Wappen und den Insignien des Heiligen Landes, ein nicht erhaltenes Glasfenster für St. Lorenz sowie ein flämischer Grabteppich (1486) mit einer Darstellung des Englischen Grußes, eine Familienerwerbung aus Firmenmitteln. Hans' Interesse an der Geschichtspflege tritt auch in einem Auftrag zutage, den er 1486 als Pfleger der Ratsbibliothek erteilte: Von den Goldschmieden Albrecht Dürer d.Ä. und Barthelmes Egen ließ er 32 kupferne und neun silberne antike Münzen mit Bildnissen der römischen Kaiser vergolden. Ergänzt durch biographische Erläuterungen des Franziskaners Stephan Fridolin wurde die damals singuläre Kollektion auf einer Tafel montiert in der Bibliothek als Bestandteil humanistischer Programmatik präsentiert.[64] In Ergänzung seiner politisch-kommunalen Bedeutung, tritt Hans VI. Tucher in den geschilderten Aktivitäten und Stiftungen zusätzlich als ein Mann von ausgeprägtem historischen Bewusstsein und Engagement für die persönliche wie kommunale Historiographie und Gedächtnisbildung hervor, welche in dieser Generation der *memoria*-affinen Tucher-Familie außerordentlich waren. Die Fahrt ins Heilige Land, auf die hierbei wiederholt Bezug genommen wird, schien dabei als eine Art Statusmerkmal zu fungieren.

Das skizzierte kulturhistorische Milieu, aus dem Dürers Bildnis der Elsbeth Tucher hervorging, gibt wichtige Auskünfte über die Rahmenbedingungen von dessen Genese: Das Porträt entstand in einem Klima gesellschaftlicher und wirtschaftlicher Prosperität der Stadt Nürnberg, deren Patriziat der privaten wie öffentlichen Gedächtnis- und Repräsentationskultur einen hohen Stellenwert zumaß. Exemplarisch hierfür steht das florierende Geschlecht der Tucher, dessen umfängliche *Memoria*-Aktivitäten in der jüngeren Linie bevorzugt im vergleichsweise neuartigen Medium des Porträts stattfanden. Als Mitglieder dieses Familienzweiges waren auch Hans XI. und Niclas II. Tucher den genannten Gepflogenheiten verpflichtet: Die Diptychen von ihnen und ihren Ehefrauen stehen in der Tradition der patrizischen *Memoria*-Pflege in Nürnberg, innerhalb derer die diesbezüglich modellhaften Aktivitäten des bedeutenden Vaters und das Tuchersche Vorbild privater Erinnerung im Bildnis ihre unmittelbarsten Bezugspunkte bildeten. Als ursprünglicher Bestandteil eines der Diptychen tritt das Kasseler Bildnis somit als Exponent eines umfänglichen Konzeptes familiärer Repräsentation und Identitätsstiftung in Erscheinung.[65] Dessen Ansprüche und Konditionen bedingten notwendigerweise die künstlerische Gestaltung. Im Folgenden ist zu zeigen, wie Dürer diesen Anforderungen begegnete.

50 Einen Überblick liefert Haller 1978.
51 Weitere Beispiele liefern u.a. die Aufzeichnungen der Familien Tetzel (1550) und Holzschuher (1563). Die Nürnberger Bücher werden damit prägend für spätere Zeugnisse wie das *Ehrenbuch* (1545-49) und die sog. *Imagines* (1615) der Augsburger Fugger, oder für die Frankfurter *Chronik Eisenberger* (Ende 16. Jahrhundert). Siehe Bock 2001.
52 Kuhn 2010, S. 40.
53 Hierzu allgemeiner Kuhn 2007, S. 121-134; Meyer 2009, S. 102-115 und 440-449; mit Bezug auf Dürer auch Eser 2011, S. 167; Eser 2012, S. 276.
54 Siehe nachfolgend Haller 1978; Zahnd 1990, S. 7-37; Meyer 2009, S. 85-115; Landois 2014, S. 13f.; Kuhn 2010, S. 36-45; zuletzt Hirschfelder 2012a, S. 107.
55 Siehe Schwemmer 1962, S. 51f.; Haller 1978, S. 221f.; Kuhn 2010, S. 275-310.
56 Siehe Grote 1961, S. 55-85; Schwemmer 1962; Kuhn 2007, S. 126-128.
57 Hierzu zählt u.a. der im Auftrag Anton II. von Veit Stoß für St. Lorenz geschaffene sog. *Englische Gruß* (1517/18).
58 Glas, 41 x 35,9 cm, Nürnberg, Germanisches Nationalmuseum; Ausst. Kat. Nürnberg 2012, S. 486, Nr. 160.
59 Siehe Grote 1961, S. 60-64; Schwemmer 1962, S. 42f.
60 Auch für zahlreiche Aufzeichnungen der Tucherschen Fortsetzung der chronikalischen Nürnberger Jahrbücher bis 1469 konnte Hans VI. als maßgebliche Quelle ermittelt werden. Siehe Schwemmer 1962, S. 42f.; Meyer 2009, S. 88f.
61 Vgl. Fleischmann 2008, Bd. 2, S. 1013.
62 Fichtenholz, 180 x 133 cm, Nürnberg, St. Sebald; Suckale 2009, Bd. 1, S. 81-87.
63 Siehe. Anm. 62.
64 Siehe Joachimsohn 1895; Grote 1961, S. 48; Meyer 2009, S. 155f.
65 Vgl. ausführlicher Kuhn 2010, S. 36-45 (v.a. S. 39).

»ELSPET NICLAS TVCHERIN«: Zustand und Beschreibung der Kasseler Tafel

Das Gemälde befindet sich in konservatorisch sehr gutem Zustand und weist lediglich kleinere Retuschen neueren Datums auf. Sein ursprünglicher Farbeindruck ist heute durch Pigmentverfärbungen sowie einen dicken, stark vergilbten Firnis beeinträchtigt: So stellte sich unter dem Mikroskop heraus, dass es sich bei der heute bräunlich gedunkelten Farbe des Stoffornaments ehemals um ein grünes, wohl kupferhaltiges Farbpigment handelte, und auch das Grün-Blau der Oberbekleidung dürfte früher von kräftigerer Wirkung gewesen sein.[66] Die Tafel war somit nach ihrer Vollendung nicht nur deutlich heller, sondern besaß im Unterschied zu ihrer heutigen, eher gedämpften Tonalität auch eine leuchtendere, »frischere« Farbigkeit. Farbunterschiede an der Unterkante und am rechten Bildrand legen nahe, dass das Bild an diesen Stellen früher von einem Rahmen bedeckt war. Der Grundiergrat ist an der Ober- und Unterkante erhalten, ebenso wie der rückseitige, wohl originale schwarze Schutzanstrich; der ursprüngliche Rahmen hingegen ging vermutlich im Zuge der Auflösung des Diptychons verloren. Während die Infrarotbilder nur geringfügige Pentimenti im Bereich der Wolken- und Mundpartie zeigen, offenbart die Röntgenaufnahme eine großflächige, vor Malbeginn erfolgte Kittung der etwa 0,8 cm dünnen Holztafel im Bereich des linken Ohrs (Abb. 8). Offenbar wurde hier ein Astloch im Holz geschlossen, dessen Konturen auch auf der Bildrückseite noch sichtbar sind. Mit dieser Maßnahme wurde ein Trägermaterial von minderer Qualität für die Bemalung geeignet gemacht.

Elsbeth Tucher erscheint in knappem Brustausschnitt im Dreiviertelprofil vor dem Betrachter. Die Wendung von Oberkörper und Kopf nach links, wohin auch ihr geradeaus gerichteter Blick zielt, gilt dem verschollenen Bildnis ihres Ehemanns, dem das Kasseler Porträt als Pendant zugeordnet war. An ihren Gatten ist auch der mit zwei Steinen gefasste Ring gerichtet, ein Zeichen ehelicher Treue und Verbundenheit, den die »Tucherin« zwischen Daumen und Zeigefinger der im Bildausschnitt nur halb sichtbaren rechten Hand vor sich hält. Die Figur ist hinterfangen von einem zweigeteilten Fond: Zu ihrer Rechten ist eine Stoffbahn aus Brokat oder Samt mit einem sog. Granatapfelmuster[67] zu sehen, ehemals grünen, heute jedoch dunkler erscheinenden, floral-stilisierten Ornamenten auf gelblich-bräunlichem Grund, welche die gesamte Höhe der Bildfläche und knapp zwei Drittel ihrer Breite einnehmen. Eine helle,

Abb. 8
Röntgenaufnahme
Abb. 1, Kassel,
Museumslandschaft
Hessen Kassel,
Archiv Restaurierung

schwarz konturierte Originalinschrift[68] in römischer Kapitalis, die an der oberen Bildkante über das Stoffmuster gesetzt ist, identifziert die Dargestellte: »ELSPET NICLAS TVCHERIN [ligiert] 26 ALT [ligiert]«, darunter die Zahl »1499«. Links neben der Tapisserie öffnet sich hinter einer steinernen Brüstung der Ausblick in eine nordalpine Landschaft. Sie ist gestaffelt in eine grüne Ebene mit schlängelndem Pfad, die in eine ansteigende Waldzone mit See und schließlich in eine in der Ferne bläuliche, schroffe Bergsilhouette übergeht, über der sich ein milchiger, von dunkelgrauen Wolken durchzogener Himmel wölbt.

Vor dem Landschaftsfond treten die markanten Konturen der weiblichen Physiognomie nachdrücklich hervor: Das schmal zulaufende Gesicht, das von einem energischen, knochig hervortretenden Kinn mit

Grübchen abgeschlossen wird, und die ausgeprägten, hohen Wangenknochen legen in ihrer Eigenart ebenso wie der lange, schmale Hals und die stark abfallenden Schultern eine präzise Beobachtung und Erfassung des Modells durch den Künstler nahe. Dies gilt auch für die sensible und differenzierte Wiedergabe des gleichmäßigen, an den Wangen leicht geröteten Inkarnats. Die subtile Schattenbildung und der Einsatz von Weißhöhungen an Augen-, Mund- und Nasenpartie sowie an Hals und Dekolleté verleihen dem Antlitz der »Tucherin« eine plastische, skulpturale Modellierung. Im Verbund mit den individuellen Zügen erlangt ihr Gesicht dabei ungeachtet der Starrheit von Pose und Ausdruck einen lebensvollen Charakter.[69] Der Schattenwurf an Haube, Nacken und linker Schulter erzeugt wiederum ein dezentes Körpervolumen, das die Figur als dreidimensionale Gestalt im Bildraum verankert. Die Nahsichtigkeit der flachen Tapisserie und die perspektivische Landschaft in der Ferne, deren Gegensätze sich in der unmittelbaren Konfrontation verstärken, erzeugen spannungsvolle formale Kontraste von Raum und Fläche und bilden eine abwechslungsreiche Folie, vor welcher die Figur der »Tucherin« plastisch hervortritt. Ihre Platzierung auf der Grenze zwischen Stoffbahn und Fensterausblick verleiht dem ausdrucksvollen Gesicht dabei zusätzliche Fokussierung und motivische Belebung.

Die Kleidung entspricht der standesgemäßen Tracht verheirateter Damen der Nürnberger Oberschicht, die Dürer u.a. in einer Reihe von Kostümstudien festhielt.[70] Wie jene der übrigen Stände unterlag sie einem strengen städtischen Reglement: Der Kopf ist bedeckt vom traditionellen »Steuchlein«,[71] bestehend aus der wulstartigen, rückseitig flachen und hier mit hellem Gitterornament verzierten Unterhaube, einer Zierborte, der sog. Pleide, und dem darüberliegenden Schleiertuch, das im Nacken gebunden ist und dessen langes Ende über die linke Schulter fällt. Über der Stirn hängt das zarte, fast transparente Gewebe leicht gekräuselt ins Gesicht, dessen kantige Formen es in wirkungsvollem Gegensatz einrahmt. Auf der mit zarter Stickkante versehenen Zierborte, deren Farbton vielleicht mit der eleganteren goldenen Pleide zu identifizieren ist, sind in verschiedenen Blau- und Rottönen die bislang ungedeuteten Initialen »M H I M N S K« zu lesen, die vermutlich eine Devise oder einen ehelichen Treuespruch abkürzen. Die nur bis zum Schulteransatz sichtbare Oberbekleidung der »Tucherin« besteht aus einem Hemd mit schlangenförmigen Stickereien sowie den eingewebten Initialen »WW« am Kragen, der mit einer feinen goldfarbenen Borte abschließt; im Ausschnitt verschwindet eine geschuppte goldene Gliederkette. Das über dem Hemd getragene, wohl ehemals grüne Wams oder »Brüstlein«[72] wird am Dekolleté zusammengehalten von einer Spange, dem »Heftlein«, das zwischen floralen Ornamenten die Initialen des Ehemannes, »N T«, aufnimmt. Das hierfür verwendete Blattgold reflektiert auf der technischen Ebene die Kostbarkeit des dargestellten Schmuckes. Monogramme oder Namensinitialen der Ehepaare finden sich in Porträts des 15. und 16. Jahrhunderts häufig in Form von Stickereien[73] oder Schmuckobjekten[74] an der Kleidung der Porträtierten, wobei die Eheleute in der Regel jeweils die Initialen des Partners tragen.[75] Die insgesamt dezente, aber hochwertige Ausstattung der »Tucherin« steht im Einklang mit der im Bildnis üblichen Repräsentationskleidung sowie mit der zeittypischen Zurückhaltung weiblicher Aufmachung im Nürnberger Bürgerporträt.[76]

Die Bildkomposition wird bestimmt durch die Vertikale von Tapisserie und Fensterausschnitt, der die Horizontale von Brüstung und Schulterpartie der »Tucherin« ausgleichend entgegenwirken, und basiert auf klarem proportionalem Aufbau: So sind die Breite des Fensters und der Abstand zwischen Brüstung und Bildunterkante identisch, und der räumliche Anteil der Bildgründe und die Zuordnung der Gesichtshälften zu diesen stehen zueinander im gleichen harmonischen, dem goldenen Schnitt angenäherten Verhältnis. Dank der Enge des Bildausschnitts, den sie in Breite und Höhe beinahe ausfüllt, und ihrer Positionierung am vorderen Bildrand erlangt die Figur der »Tucherin« ungeachtet des kleinen Tafelformats einen monumentalen Charakter. Bedingt auch durch das Fehlen einer grenzstiftenden Brüstung, erscheint die Figur unmittelbar an den Betrachter herangerückt, zu dem sie mit ihrer statischen Pose und der Linkswendung von Oberkörper und Blick zugleich in Distanz tritt. Der Tiefenzug der Landschaft mit ihrer aufsteigenden Wald- und Bergkette, deren Diagonale eine Fortsetzung der rechten Schulterlinie bildet, zieht den Blick des Rezipienten wiederum weiter nach links zum inzwischen verlorenen Bildpendant des Ehemanns.

Das grundlegende Gestaltungsmittel des Bildes ist die Konturlinie, welche die Einzelformen definiert und als abschließende redaktionelle Ergänzung, z.B. an der rechten Schläfe, festigt.[77] Im Unterschied zur sorgfältigen Modellierung von Gesicht und Inkarnat der »Tucherin« sind Landschaft und Wolken, Stoffbahn und Kleidung deutlich schematischer wiedergegeben. Während in den Hautpartien die Licht- und Schatteneffekte und der gleichmäßige Farbauftrag ein Ergebnis von luminöser Plastizität erzeugen, stellen sich die übrigen Bildpartien als flächige, durch zumeist breite Konturen angelegte Formen mit geringer Binnenmodellierung dar, die, unberührt von Lichteinwirkung, wenig materielle Charakterisierung oder Differenzierung aufweisen. Die gestalterischen Effekte erscheinen dabei ebenso schablonenhaft im Einsatz wie ökonomisch in der Ausarbeitung. Dies gilt für die gelblichen Punktreihen bzw. Strichlagen, die den goldbestickten Kragen und die Kettenglieder definieren, mehr noch aber für die gestaffelten Kugelformen der Bäume: Ein dunkelgrüner Kontur umschließt dort eine hellere Fläche, die Volumen erhält durch einen einzelnen bogenförmigen Strich in fast gelber Nuance, der sich im Hintergrund verselbständigt, um weitere Baumkronen in der Ferne zu suggerieren. In vergleichbarer Weise erlangt auch die Tapisserie in der Angabe des Ornaments in Form an- und abschwellender, dünner Pinselstriche einen eher zeichnerischen denn malerischen Charakter. Diese summarischen Ausführungen finden eine Entsprechung in der zum Teil unklaren Raumbeschreibung: Dies betrifft neben der eher zeittypisch undefinierten Beziehung und Entfernung zwischen Figur und Hintergrund vor allem das Verhältnis von Fensteröffnung und Tapisserie: Wo in vergleichbaren Bildkompositionen (vgl. Abb. 15) ein Wandvorsprung oder eine Steinkante den Übergang zwischen einer Fensteröffnung und einer stoffbespannten Fläche im Innenraum anzeigen, bricht das Textilmuster des Kasseler Bildnisses abrupt ab. Es bleibt somit ungewiss, ob es sich hierbei um eine textilverhüllte Wand oder eine herabhängende, womöglich einen Teil der Fensteröffnung verhüllende Stoffbahn handelt.[78] Dass diese wenig präzise erscheinende Schilderung dem Platzmangel der kleinformatigen Tafel geschuldet sein könnte, wird durch den Vergleich mit Michael Wolgemuts Porträt des Levinus Memminger (Abb. 15) widerlegt, das bei gleichen Bildmaßen seine Figur doch in einem klaren Raumgefüge verankert. Vielmehr ist die Verknappung der Raumangaben zum einen auf die genannte, mitunter sparsame Bildausführung zurückzuführen, zum anderen lässt sie vermuten, dass Dürer weniger an einer realistischen Raumschilderung gelegen war, sondern der Hintergrund ihm vielmehr als dekorative Folie diente, welche die plastische Erscheinung der Figur weiter zu steigern vermochte.

In künstlerischer Hinsicht präsentiert sich das Tafelbild der Elsbeth Tucher als ein Werk von sorgfältiger, überlegter Komposition, Ausstattung und Ausführung, in welchen bisweilen ein ökonomischer Ansatz zu beobachten ist. So offenbaren sich deutliche Unterschiede in der malerischen Umsetzung, die zwischen sensibler, plastischer Durchbildung und schematischer Anlage wechselt. Die größte Gewissenhaftigkeit gilt dabei den individuellen Zügen der »Tucherin«, die auf diese Weise in den Fokus der Aufmerksamkeit rücken.

Als Ausgangspunkt der künstlerischen Kontextualisierung des Gemäldes, die eine mögliche Erklärung dieser gestalterischen Diskrepanz liefern kann, soll nachfolgend zunächst die Stellung der Tafel in Dürers Œuvre bestimmt werden.

66 Für die kunsttechnologische Untersuchung des Gemäldes und deren hier zitierte Ergebnisse danke ich Christiane Ehrenforth, Restaurierungsabteilung MHK.
67 Siehe Schwemmer 1962, S. 45; Kat. Kassel 1997, S. 118f.; Hirschfelder 2012a, S. 110f.
68 Entgegen der Angabe in Kat. Kassel 1996, S. 108 belegten kunsttechnologische Untersuchungen von 1998 die Echtheit der Inschrift, die mit der Farbschicht krakeliert ist (Archiv Restaurierung, MHK).
69 Vgl. u.a. Ausst. Kat. Nürnberg 1971, S. 279-281 zur fehlenden psychologischen Erfassung in Dürers frühen Porträts; Hirschfelder 2012a, S. 111.
70 Siehe Zander-Seidel 1990; Ausst. Kat. Wien 2003, S. 192-196, Nr. 35-37.
71 Siehe Zander-Seidel 1990, S. 106-110; Zander-Seidel 2010.
72 Siehe Zander-Seidel 1990, S. 74-79.
73 Vgl. u.a. Bernhard Strigel: Bildnis des Nürnberger Kaufmanns Hieronymus Haller II. zu Kalchreuth, um 1503, Fichtenholz, 47 x 33 cm, München, Alte Pinakothek, das mit den Initialen »RW« als Perlenstickerei am Saum des Wamses verziert ist. Siehe Buchner 1953, S. 102f. und 202f., Nr. 106.
74 Vgl. u.a. Lucas Cranach d.Ä.: Bildnis einer jungen Frau (um 1510-1512), Kiefernholz, 40 x 29,5 cm, ehem. Berlin, alter königlicher Besitz, mit den Initialen »BS« (Barbara von Sachsen?) in den Gliedern des Gürtels und der Halskette, sowie Hans Wertingers Bildnisse Wilhelm IV. Herzog von Bayern und Herzogin Jacobas von Baden (1526) mit den wiederholten Namensinitialen »W« und »I« an Kette bzw. Gewandsaum (vgl. Anm. 149). Friedländer/Rosenberg 1979, S. 81, Nr. 57; Dülberg 1990, S. 211f. Nr. 124, Abb. 493-495.
75 Siehe Löcher 1985, S. 42-45; Roeher-Ertel 2007, S. 67.
76 Vgl. Zander-Seidel 1990, S. 28-34. Kleidung als Statussymbol und Mittel des sozialen Selbstentwurfs konnte im Porträt jedoch auch jenseits der Kleiderverordnung eingesetzt werden, siehe Morath-Fromm 2011; Frieling 2016.
77 Zum malerischen Verfahren des Frühwerks siehe Hess/Mack 2012, S. 185-187.
78 Vgl. Panofsky 1955/2005, S. 42, dessen Deutung des Tucher-Porträts als Außenraumdarstellung jedoch die Brüstung außer Acht lässt; Strieder 1971b, S. 279; Strieder 1996, S. 232.

»the first and perhaps the most distinctive ›maximum‹ phase in Dürer's career«:[79] Dürers Frühwerk und das Porträt

Die Entstehung des Kasseler Porträts fiel in die prägende Phase von Dürers Frühwerk: Nach seiner malerischen Ausbildung bei dem Nürnberger Maler Michael Wolgemut und der anschließenden vierjährigen Gesellenwanderung kehrte der Künstler gegen 1495 nach Nürnberg zurück, wo er bis zum Aufbruch zu seiner mutmaßlich zweiten italienischen Reise verblieb.[80] In dieser etwa 10 Jahre umfassenden Werkperiode vollzog sich die künstlerische und unternehmerische Etablierung Dürers in seiner Heimatstadt, in der damals neben der großen Werkstatt des ehemaligen Lehrers Wolgemut bereits etliche weitere Maler und Künstler tätig waren.[81] Die Arbeiten des in diesen Kreis als Neuling dazustoßenden Dürer zeichneten sich durch eine hohe Produktivität, Innovation und Originalität sowie durch künstlerische, thematische und mediale Bandbreite aus:[82] Sie umfassten u.a. die Beschäftigung mit Tier-, Pflanzen- und Landschaftsstudien sowie mit den Themen der Aktdarstellung und Mythologie, Entwürfe für Glasmalerei, die Entwicklung der selbständigen Bildniszeichnung und ab 1500 die theoretische und praktische Auseinandersetzung mit Proportion und Perspektive. Eine zentrale Bedeutung kam in dieser Werkphase der auch quantitativ dominierenden Druckgraphik zu, die Dürer thematisch und technisch revolutionierte. Die Holzschnitte der sog. *Apokalypse* (1498) nahmen hierbei eine herausragende Rolle ein: Als selbständige Publikation Dürers und neuartiger Typus des Andachtsbuches bildeten sie in ihrer technischen Fulminanz und ikonographischen Originalität ein außerordentliches Unternehmen.[83] Des Weiteren produzierte Dürer ein an Sujets, Formaten und Qualität äußerst diversifiziertes Sortiment an Einblattholzschnitten und Kupferstichen, das seit 1497 über ein ausgeklügeltes Vertriebssystem vermarktet wurde.[84] Während der Erfolg der druckgraphischen Arbeiten sich in der Rückschau nicht eindeutig bestimmen lässt,[85] vermitteln Dürers Gemälde-Aufträge dieses Zeitraums ein Bild des frühen künstlerischen Erfolges. Es entstanden der sog. *Dresdner Altar* und der *Altar der Sieben Schmerzen Mariens*, beide mutmaßlich von Kurfürst Friedrich dem Weisen für die Wittenberger Schlosskirche bestellt, der sog. *Paumgartner-* und der *Jabach-Altar* sowie 1504 erneut für den sächsischen Kurfürsten eine Anbetung der Könige. Weiterhin haben sich aus diesem Zeitraum zwei Epitaphien mit der Darstellung der Beweinung Christi für die Familien Holzschuher und Glim sowie ein Andachtsbild der Maria mit Kind für Wolff Haller erhalten (Abb. 21). Einen weiteren Auftragsbereich bildete das Porträt: Dürer schuf die Bildnisse Friedrich des Weisen (auf Tüchlein gemalt), Oswolt Krels (Abb. 22) und der Familie Tucher (Abb. 24). In unbekanntem Auftrag entstanden das heute durch Übermalung entstellte Bildnis eine jungen Mannes, der zeitweilig mit Sebastian Imhoff identifiziert wurde (Abb. 20), und das kleinformatige Gemälde eines Männerkopfes vor dunklem Grund. Auf Leinwand malte Dürer ferner die Bildnisse der ehemals als sog. Fürlegerinnen bekannten Frauen (vgl. Abb. 18), deren Identität von der Forschung bislang nicht eindeutig geklärt werden konnte.[86]

Der sächsische Kurfürst war einer der herausragenden Kunstmäzene seiner Zeit und damit für Dürer ein wichtiger höfischer Kunde. Die Familien der Tucher, Haller, Holzschuher und Paumgartner zählten zum Nürnberger Patriziat, und stellten damals mit Ausnahme der letztgenannten einflussreiche Mitglieder des Nürnberger Rates. Oswolt Krel war von 1497 und bis 1503 als leitender Rechnungsführer der Nürnberger Filiale der Ravensburger Handelsgesellschaft tätig, einem der bedeutendsten Handelsunternehmen in Süddeutschland, das zudem in regem Austausch mit der Tucherschen Handelsgesellschaft stand.[87] Gleich zu Beginn der künstlerischen Niederlassung in seiner Heimatstadt konnte Dürer demnach illustre, überwiegend dem Nürnberger Patriziat entstammende Kunden von gesellschaftlichem und politischem Rang für sich gewinnen. Diese bildeten eine sozial weitestgehend homogene Klientel, die zum Teil aus Dürers nachbarschaftlichem Umfeld[88] bestand und damit vermutlich einen guten Multiplikator für weitere Aufträge darstellte. Mit den genannten Arbeiten für die oberschichtlichen Nürnberger Zirkel legte Dürer auch den Grundstein für seine spätere Klientel, die sich ebenfalls aus hochrangigen lokalen und auswärtigen Patriziern, wohlhabenden Bürgern und höfischen bis kaiserlichen Kreisen zusammensetzen sollte.

Unter den malerischen Arbeiten des Frühwerks besaß das Porträt in vielfacher Hinsicht eine besondere Stellung.[89] Der hohe Anteil, den Bildnisse für illustre Auftraggeber unter den frühen Aufträgen einnahmen, belegt Dürers rasches Ansehen auch als Maler von Porträts. Als Gattung bildeten diese zwischen dem Beginn der künstlerischen Aktivität und dem Aufbruch nach Italien die größte (erhaltene) Werkgruppe, und blieben auch in den späteren Schaffensphasen nach Bedeutung und Quantität ein wichtiges Tätigkeitsfeld des Künstlers. Das Porträt trug somit entscheidenden Anteil am frühen künstlerischen

Erfolg Dürers,[90] der sich auf ein vielfältiges Produktangebot, professionelle Vernetzung und den wechselseitigen Werkverweis zurückführen lässt.[91] Diesen Stellenwert innerhalb des Œuvres scheint auch das Zitat aus Dürers Einleitung des unvollendeten Lehrbuchs der Malerei von 1512 in symptomatischer Weise zu reflektieren: Basierend auf Äußerungen aus Leon Battista Albertis *De pictura* (1435) und der *Naturalis historia* von Plinius benennt der Künstler dort als zentrale Aufgabe der Malerei zuerst die Vermittlung der Leiden Christi im Dienst der Kirche, danach das dem Gedanken der *Memoria* verpflichtete Porträt: »Nit vnpillig beschreib jch etwas zum gemell dinstlich. Dan dy kundt des molens würt geprawcht jm dinst der kirchen vnd dordurch angetzeigt daz leiden Christi, behelt awch dy gestalt der menschen noch jrem absterben.«[92]
Neben der quantitativen Relevanz kam dem Bildnis des Frühwerks auch eine künstlerisch prominente Rolle zu, handelte es sich doch bei den ersten überlieferten Gemälden Dürers überhaupt um Bildnisse seines Vaters Albrecht d.Ä., den Dürer 1497 erneut porträtierte, und seiner Mutter Barbara Holper (beide 1490). Diesen folgte 1493 das erste der insgesamt drei bis 1500 gemalten Selbstbildnisse (vgl. Abb. 19), denen bereits drei Selbstaufnahmen im Medium der Zeichnung vorangingen. Die wiederholte Darstellung von Familienmitgliedern und der eigenen Person, die mitunter markanten Stationen in Dürers frühem Werdegang wie dem Abschluss der Malerausbildung oder der Niederlassung in Nürnberg zugeordnet werden kann, lässt die Gattung des Porträts gleichermaßen als Medium der künstlerischen Selbstvergewisserung und -reflexion wie auch als eindrucksvollen Ausweis der eigenen malerischen Fähigkeiten erscheinen,[93] deren Gegenstand sich gewissermaßen von selbst anbot.

Das Bildnis Elsbeth Tuchers und seine Pendants waren Bestandteil einer in Dürers früher Karrierephase bedeutsamen Werkgruppe, und gehörten zu jenen Auftragsarbeiten, die in den 1490er Jahren Dürers Ruf und Erfolg als Maler in Nürnberg mitbegründen halfen. Innerhalb des Dürerschen Frühwerks kommt ihnen somit ein gleichermaßen repräsentativer wie prägender Stellenwert zu. Die Wahl Dürers als ausführender Künstler der Tucher-Bildnisse mochte Ergebnis seines damals prominenten Hervortretens als (Bildnis)maler in Nürnberg, aber auch durch die diversen professionellen, persönlichen und nachbarschaftlichen Beziehungen begünstigt gewesen sein, die zwischen dem Künstler und der Familie Tucher bestanden und möglicherweise als Empfehlung wirkten.[94] Eine Rolle spielte wohl auch Dürers früheres Schüler-Verhältnis zu Michael Wolgemut, der bereits die Bildnisse von Hans Tucher und seiner Frau gemalt hatte. Über das Frühwerk hinaus nahmen die beiden Tucher-Diptychen langfristig betrachtet sogar eine Multiplikator-Funktion für Dürers Auftragslage ein, indem sie den Auftakt einer Reihe weiterer Arbeiten im Auftrag der Familie, vornehmlich Anton II., bildeten.[95]

Dürers Glück als Porträtist, das in den Tucher-Bildnissen exemplarisch manifest wird, und die Zahl seiner entsprechenden Werke spiegeln auf übergeordneter Ebene die steigende Nachfrage einer Bildgattung wider, welche im letzten Viertel des 15. Jahrhunderts in Deutschland, und dort vor allem in Nürnberg, ihre Durchsetzung erlebte.

79 Panofsky 1955/2005, S. 39.
80 Zur Diskussion von Dürers Reisen vor 1500 sowie deren Zeitpunkt und Dauer siehe zuletzt Ausst. Kat. Nürnberg 2012, S. 536-552.
81 Siehe Strieder 1993, S. 65-125; Suckale 2009.
82 Siehe Panofsky 1955/2005, S. 39-106; Anzelewsky 2000, S. 61-123; Hutchison 1994, S. 78-98; Rebel 1996, S. 93-213; Schmid 2003, S. 95-121; Grebe 2006, S. 48-71; Schauerte 2012, S. 60-143.
83 Siehe Schoch/Mende/Scherbaum 2002, S. 59-116.
84 Siehe Schmid 2003, S. 121-128.
85 Siehe Schauerte 2012, S. 82-105.
86 Vgl. zuletzt Hirschfelder 2012a, S. 108 mit weiterer Literatur.
87 Siehe Kat. München 1998, S. 236-259.
88 Siehe Gulden 2012, S. 37f.
89 Siehe Anzelewsky 1971, S. 83-87; Strieder1971a; Strieder 1971b; Strieder 1996, S. 222-257; Eberlein 2003; Schütz 2011; Hirschfelder 2012a.
90 Die entscheidende Bedeutung für Dürers Erfolg, die den frühen Porträts ausgehend vom Auftragsbildnis des sächsischen Kurfürsten zugeschrieben wurde, erscheint hingegen problematisch im Hinblick auf die fragliche Datierung dieses Gemäldes wie der frühen Auftragswerke insgesamt, unter denen allein die Bildnisse datiert sind. Vgl. Rebel 1996, S. 100; Hutchison 1994, S. 89; Löcher 1985 und zuletzt Hirschfelder 2012a, S. 107f.
91 Siehe zuletzt Schauerte 2012, S. 102: »Erst die Gesamtheit von Dürers intensiven und facettenreichen Bemühungen um den idealen, ebenso gebildeten wie wohlhabenden Abnehmer seiner Werke hat wohl letztlich den »Durchbruch« gebracht, getragen von seiner Fähigkeit, die unterschiedlichsten Bedürfnisse auf höchstem Niveau zu befriedigen.«
92 Rupprich 1966, S. 113.
93 Vgl. zuletzt Eser 2011, S. 159-176 (mit älterer Literatur); Schauerte 2012, S. 72-74 und Schmidt 2010.
94 Hans VI. Tucher hatte von Dürers Vater römische Münzen für die Ratsbibliothek vergolden lassen. Ein Cousin der Tucher gehörte zur Bekanntschaft Dürers, dessen Freund Willibald Pirckheimer mit einer Schwester Felicitas Tuchers verheiratet war. Siehe ausführlich Hirschfelder 2012a, S. 115f.
95 Siehe Meyer 2009, S. 101.

»...behelt awch dy gestalt der menschen noch jrem absterben«:[96] Das deutsche Porträt vor 1500

Das autonome Bildnis mit dem Anspruch einer naturgetreuen, realistischen Erfassung der dargestellten Person, welches erstmalig in den Niederlanden in den Werken Jan van Eycks und Rogier van der Weydens in Erscheinung trat, fand ab der Mitte des 15. Jahrhunderts auch in Deutschland eine wachsende Verbreitung, die in den Jahrzehnten nach 1500 ihren Höhepunkt erreichte.[97]

Abb. 9
Dirk Bouts: Bildnis eines Mannes (Jan van Winckele?), 1462, London, The National Gallery

Abb. 10
Martin Schongauer: Die Madonna mit dem Papagei, 1470er Jahre, Berlin, Staatliche Museen zu Berlin, Kupferstichkabinett

Die Gattung war aus dem spätmittelalterlichen Stifterporträt im Altar- oder Andachtsbild hervorgegangen, das in der Frühzeit mangels Bildnisähnlichkeit oftmals nur durch Wappen zu identifizieren war. Der Präsenz des Stifters im sakralen Bildgeschehen lag primär die Sorge für das eigene Seelenheil und die Fürbitten der Nachkommen zugrunde. Dem aus der religiösen Sphäre in den profanen Kontext überführten, selbständigen Bildnis wurden hingegen neue Aufgaben für eine neue Klientel zuteil: Im Auftrag eines aufstrebenden, wohlhabenden Bürgertums dokumentierte es für Gegenwart und Nachwelt die individuelle Erscheinung u.a. von Kaufleuten, Unternehmern und Amtsträgern, ihr privates Andenken und ihren weltlichen Status, und bildete damit ein bedeutsames Instrument sozialer Selbstkonstruktion und Kommunikation.[98] Die konservierte Erinnerung an Persönlichkeit und Aussehen der Dargestellten über deren Tod hinaus, die Dürer als oberste Aufgabe der Porträtgattung benannte, bildet den Fluchtpunkt einer Vielfalt familiär-genealogischer, sozial-wirtschaftlicher und privater bis repräsentativer Interessen, die im Bildnis oftmals miteinander verschränkt sind.

In formaler Hinsicht waren die deutschen Porträtmaler des 15. Jahrhunderts der Pflege und Variation ihrer niederländischen Vorbilder verpflichtet: Beim Bildausschnitt dominiert das Brust- oder Halbfigurenbild in Dreiviertelansicht mit oder ohne Darstellung der Hände, denen bisweilen eine Brüstung als Auflage dient. Der in die Ferne schweifende Blick der Figuren richtet sich nur selten direkt an den Bildbetrachter. Der Bildraum ist farbig monochrom, mit textilem, gemustertem Hintergrund oder als Innenraum mit Fensteröffnung und Landschaftsausblick ausgestattet: Dieses Kompositionsschema, vormals bekannt aus Andachtbildern der Maria mit Kind, ist im Porträt erstmalig in Dirk Bouts'

Abb. 11 Bayerischer Meister: Bildnis eines Architekten, um 1480, Basel, Kunstmuseum

Abb. 12 Münchner Meister: Bildnis des Hans Hofer, um 1485, München, Bayerische Staatsgemäldesammlungen, Staatsgalerie Burghausen

Londoner Männerbildnis[99] von 1462 (Abb. 9) überliefert, und erlebte seine Verbreitung ab dem letzten Viertel des 15. Jahrhunderts vor allem im mittel- und süddeutschen Raum. Dies gilt auch für die Kombination aus Fenstermotiv und Tapisserie, die u.a. durch Martin Schongauers Kupferstich der Maria mit Kind und Papagei[100] (1470er Jahre, Abb. 10) nach Deutschland vermittelt wurde.[101] Wie bei Bouts war die Fensterwand zunächst als fluchtende Diagonale angelegt, manchmal ergänzt durch eine perspektivische Deckenansicht, die dem dargestellten Innenraum Tiefe verleiht (Abb. 11).[102] Dieses Kompositionsmodell wurde zunehmend verdrängt durch die bildparallele Wiedergabe von Fenster und Rückwand, die bis ins 16. Jahrhundert hinein Verwendung fand (Abb. 12).[103] Die textile Wandbespannung im Porträt stellte eine Profanierung aus der Marienikonographie dar, wo das Ehrentuch als formelhafte Verkürzung des Baldachins einen nobilitierenden Charakter besaß.[104] Im Porträtkontext verband sich diese Würdeformel augenscheinlich mit Status und Bildniswürdigkeit der Modelle, worauf auch die oftmalige Kostbarkeit der dargestellten Textilien und deren aufwendige malerische Ausführung verweisen.

Zu den frühesten Ausprägungen des Porträts gehörte das Ehebildnis:[105] Auf Bildpendants, die oftmals per Scharnier zum Diptychon verbunden waren, oder Doppelporträts sind die Eheleute als Brust- oder Halbfiguren einander in Dreiviertelwendung zugewandt, wobei der Mann üblicherweise die heraldisch rechte Seite besetzt. Die Bezugnahme der Partner wird in der Regel durch einen tafelübergreifenden, vereinheitlichten (oder als solchen zu verstehenden) Bildraum untermauert, der wie im Einzelbildnis als monochromer Fond, bisweilen als Architekturfolie oder Fensterpanorama ausgebildet ist (vgl. Abb. 25, 29 und 32). Diese relativ konservativen Kompositionsformeln werden häufig ergänzt durch Inschriften und Attribute wie Blume oder Ring als Zeichen der Brautwerbung oder Verbundenheit und Treue. Üblicherweise werden diese durch den Mann präsentiert, der gelegentlich einen Blickkontakt zum Betrachter herstellt. Biographische Ereignisse wie Brautwerbung, Verlobung oder seltener die Hochzeit selbst boten die üblichen Bildanlässe, quantitativ überwiegen jedoch die Bildnisse älterer verheirateter Paare, die etwa durch Amtserhebungen oder Testamentsanfertigungen motiviert sein konnten. Wo konkrete Veranlassungen fehlen, ist wohl der allgemeinere Wunsch der Auftraggeber zu vermuten, den eigenen *status quo* oder einen erreichten Lebensstandard im Bildnis zu dokumentieren.[106] Der Ursprung des Ehebildnisses lässt sich über das Stifterporträt hinaus auch mit den Halbfigurenbildnissen fürstlicher Stammbaumdarstellungen in Verbindung bringen, die korrespondierend angeordnet

und durch Wappenansichten komplettiert waren. Hier findet sich somit vermutlich auch das Vorbild für die Familienwappen der Eheleute, die beim Diptychon oftmals die Bildrückseiten des Männerporträts zieren, wie etwa im Falle des Weimarer Bildnisses Hans Tuchers.
Vor dem Hintergrund der Bildnis-*Memoria* und seiner motivischen Genese erweist sich das Ehebildnis und insbesondere das -diptychon als »Kennzeichen eines erstarkten Bürgertums« und wichtiges »Rang- und Familiendokument«.[107] Über die Dokumentation des Individuums hinaus diente es den Dargestellten und ihren Nachfahren als Zeugnis und Legitimation der eigenen Herkunft, das den Fortbestand der Sippe in der Institution der Ehe illustrierte. Im Einklang mit diesem urkundlichen Charakter stand auch die Verschließbarkeit des Diptychons, dessen übliche Verwahrung in Futteralen schriftlich und materiell belegt ist, und seine hiermit verbundene bildpraktische Transformation: Im geschlossenen Zustand nahm es die Gestalt eines zugeklappten Buches an, wodurch die rückseitigen Allianzwappen zum Frontispiz wurden und somit den familiär-genealogischen Aspekt den Bildnissen selbst thematisch voranstellten.[108]

Die ursprünglich eher kleinen Bildmaße des autonomen Porträts, das in seiner Anfangszeit eine Bildhöhe von 30 bis 50 cm nicht überschritt, nahmen bis ins 16. Jahrhundert hinein kontinuierlich zu. Das Format war dabei ebenfalls an private oder repräsentative Bildanlässe und -funktionen gekoppelt. Beides zusammen kann Anhaltspunkte zur Frage der Bildpraxis liefern, für die befriedigende Antworten noch ausstehen:[109] Welche Öffentlichkeit besaßen die Bildnisse, wer konnte – und sollte – sie sehen, und welche (räumlichen) Situationen und Gelegenheiten waren hierfür vorgesehen? Während größere Formate eine dem modernen Betrachter vertraute Wandpräsentation nahelegen, sprechen die genannten Eigenschaften und das regulär kleine Bildmaß beim Diptychon gegen dessen permanente Sichtbarkeit. Wie andere Familiendokumente auch dürfte es u.a. in Truhen verwahrt und nur zu besonderen Anlässen betrachtet oder aufgestellt worden sein.[110]

Der vorstehende Abriss des Porträtgenres eröffnet weitere Einsichten für Dürers Bildnisse der Familie Tucher. Im Einklang mit den allgemeinen Entwicklungen des Genres stehend, sind diese in ihrer formalen Gestaltung als Ehediptychen gekennzeichnet – womit sie unter den frühen Auftragsbildnissen Dürers einen Sonderstatus einnehmen. Der Gattung entsprechend, war es folglich nicht nur ihre Aufgabe, die dargestellten Persönlichkeiten des Tucher-Clans für die Nachwelt festzuhalten, sondern insbesondere, dessen familiäre Kontinuität zu bekunden. Der

Charakter als *Memoria*-Zeugnisse, den die Bildnisse innerhalb des Tucherschen Repräsentationsprogramms einnahmen, findet somit eine Entsprechung und Untermauerung im familiendokumentarischen Charakter der Bildgattung selbst. Deren Funktion wiederum lässt es auch als sicher erscheinen, dass die Porträtierten zugleich die Auftraggeber waren. Im Unterschied zu den weiteren überlieferten Porträts der Familie Tucher, von denen noch die Rede sein soll, lassen sich die Bildnisse von Hans XI. und Niclas II. jedoch mit keinerlei konkreten familiären[111] oder beruflichen[112] Bildanlässen in Verbindung bringen, die üblicherweise einen solchen Auftrag motivierten.[113] Ein nicht dokumentierter Aufstieg im Familienunternehmen bzw. der Steuerbehörde, die Testamentsabfassung oder der Wunsch, einen erreichten Status im Bild zu dokumentieren, kämen als allgemeinere Motive auch für die Dürer-Bildnisse infrage. Wie im weiteren Verlauf zu zeigen ist, lässt sich die Motivation des Auftrags aus dem Befund der Bildnisse und ihres Zusammenhangs zumindest in hypothetischer Weise rekonstruieren.

Porträtmalerei in Nürnberg

In seiner neuen Aufgabenstellung florierte das autonome Porträt insbesondere an Orten mit einer wohlhabenden, bürgerlichen Bevölkerung wie den süddeutschen Reichsstädten. Unter diesen nahm Nürnberg neben Augsburg in der Bildnisproduktion die Führungsrolle ein:[114] »In keiner anderen deutschen Stadt hat man so schnell und vielfältig von der neuen Möglichkeit Gebrauch gemacht, sich selbst im Bildnis zu erhöhen und weiterleben zu lassen, wie in Nürnberg.«[115] Dies lässt sich auch an der relativ hohen Erhaltungsquote der dort entstandenen Porträts ablesen,[116] deren Reihe in Hans Pleydenwurffs *Bildnis des Domherren Georg Graf von Löwenstein*[117] (um 1456, Abb. 13) einen herausragenden Auftakt besitzt. Obwohl es sich hierbei streng genommen nicht um ein autonomes Bildnis, sondern um die rechte Hälfte eines Andachtsdiptychons mit der Darstellung Christi als Schmerzensmann handelt, entspricht der idealisierte Realismus des Porträts den Charakteristika der neuen Gattung, die Pleydenwurff aus den Niederlanden nach Nürnberg importiert hatte.

Michael Wolgemut, der nach dem Tod Pleydenwurffs dessen Werkstatt übernahm, muss gemessen an der Zahl seiner überlieferten Bildnisse als einer der produktivsten Nürnberger Porträtmaler vor Dürers Erscheinen gelten. Aus den niederländischen Einflüssen seines Vorgängers entwickelte er einen eigenen Realismus lokaler Prägung, der sich durch größere Nüchternheit und zeichnerische Linearität auszeichnete. Seine

Abb. 13
Hans Pleydenwurff:
Bildnis des Bamberger
Domherrn Georg
Graf von Löwenstein,
um 1456, Nürnberg,
Germanisches
Nationalmuseum

fünf kleinformatigen Bildnisse variieren den schon bekannten Typus: eine in engem Bildausschnitt gefasste Halbfigur in Dreiviertelansicht, mit aufgestütztem Arm auf einer gemalten oder imaginären Brüstung und Attributen in den Händen. Als die frühesten Werke sind die beiden Einzelbildnisse des Jerusalemfahrers Hans Tucher[118] (1481) und seiner Gattin Ursula Harsdörffer[119] (1478) anzusprechen (Abb. 14), die ungeachtet ihrer Entstehung im Abstand von drei Jahren als Pendants Bezug aufeinander nehmen. Beide Figuren erscheinen jeweils in einem gemalten, unten rechts datierten Rahmen, dessen zur Bildinnenseite breiter, profilierter Vorsprung gemeinsam mit dem Schattenwurf der Körper eine reduzierte Räumlichkeit erzeugt. Das zuerst entstandene Bildnis zeigt Tuchers zweite Ehefrau vor braunrotem Fond in schlichtem, grünen Oberkleid mit Gürtel, Miederschnüren und Kette, die jeweils Reste von Blattgold aufweisen, und einer Nelke in der beringten rechten Hand. Die in Versalien gesetzte Inschrift »VRSVULA / HANS / TVCHERIN« über der weißen Haube wird nach außen durch strahlenartige Ornamente in Halbellipsenform eingefasst. Dieser Gestaltung entspricht die Beschriftung auf dem Bildpendant des Ehepartners, welche auf nunmehr rotem Bildgrund die Jahreszahl und darunter Name und Alter angibt: »1481 HANS / TVCHER / dER / GESTALT / 53 / IAR / ALT«. Mit schwarzem Rock und Hut bekleidet, spiegelt Hans Tucher die zugewandte Haltung seiner Frau, der er einen mit blauem und rotem Stein verzierten Ring entgegenhält. Arm und Finger ragen über die gemalte Bildgrenze hinaus und sorgen für eine gesteigerte Präsenz der Figur, die durch die detaillierte Beobachtung u.a. der Gesichtsfalten oder ergrauten Bart- und Haarsträhnen eine markante Individualität erlangt. Demgegenüber sind die eher flächigen und wenig differenzierten Züge der Gattin der zeittypischen Formelhaftigkeit weiblicher Bildnisse verhaftet.

Der monochrome Bildhintergrund und die goldfarbene Inschrift kennzeichnen auch die übrigen Bildnisse Wolgemuts, von welchen das Bildnis des Nürnberger Ratsmitglieds Levinus Memminger[120] (um 1485, Abb. 15) jedoch eine bemerkenswerte Ausnahme macht. Nach niederländischem Vorbild erscheint die Figur dort vor einer steinernen Fensteröffnung, durch die sich der Blick auf eine abwechslungsreiche Landschaft mit Wald und Hügeln, einer Burgfeste am See und einer ferner Bergkette am Horizont öffnet. Dem Panorama rechts steht links eine Tapisserie mit kleinteiligem, filigranem Pflanzen- und Blütendekor auf grünem Grund gegenüber, ein sog. flämisches *Millefleur*-Muster, welches weiter oben das Familienwappen und die Initialen des Porträtierten aufnimmt.[121] Unterhalb des Wappens sind die Großbuchstaben »H M H« zu lesen, die sich auf dem blauen Grund der Himmelszone in goldenden, ornamental eingefassten Lettern wiederholen und wohl eine Devise abkürzen.[122] In wirkungsvollem Kontrast hebt sich die schwarzgekleidete Gestalt Memmingers, deren Position exakt die Grenze zwischen den beiden Zonen des Hintergrunds markiert, von dem farbigen Detailreichtum des Bildes ab. Sie befindet sich im Innenraum zwischen der Brüstung des Fensters und einer weiteren des Bildvordergrunds, auf der ihr Unterarm aufliegt und diese wie im Bildnis Hans Tuchers überlappt. Raum und Landschaft sind ebenso wie die ausgeprägten Gesichtszüge Memmingers in detaillierter Beschreibung erfasst und koloristisch belebt; durch Wolgemuts zeichnerischen, konturierenden

Abb.14
Michael Wolgemut: Bildnisse von Hans VI. Tucher und Ursula Tucher geb. Harsdörffer, 1478 und 1481, Nürnberg, Museum Tucherschloss und Hirsvogelsaal / Museen der Stadt Nürnberg, Leihgabe der Tucherschen Kulturstiftung; Kassel, Museumslandschaft Hessen Kassel, Gemäldegalerie Alte Meister

VRSVLA HANS TVCHERIN
1478

Abb. 15
Michael Wolgemut: Bildnis des Levinus Memminger,
um 1485, Madrid, Museo Nacional Thyssen-Bornemisza

Malstil und die Vernachlässigung räumlicher und stofflicher Aspekte bewahren sie jedoch eine gewisse Starrheit. Die bei Ehebildnissen übliche Anordnung des Mannes auf der linken, d.h. der heraldisch rechten Seite lässt ebenso wie die gestikulierende Hand ein heute verlorenes bildliches Gegenüber vermuten, das wohl Memmingers Ehefrau Katharina Armauer zeigte. Gleiches gilt für das im Aufbau sehr ähnliche Detroiter *Bildnis eines jungen Mannes mit Nelke*[123] (um 1486, Abb. 16). Auch dort befinden sich auf dem Bildgrund gotisierend geschwungene Initialen, die zumeist als »L« und »Cz« gelesen wurden, sowie eine von den schon vertrauten floralen Ornamenten eingefasste Jahreszahl.

Unter den bekannten Nürnberger Bildnissen dieser Zeit, die das niederländische Schema mit Fenster und Landschaftsausblick verwenden,[124] ist Wolgemuts *Bildnis des Levinus Memminger* anscheinend nicht nur das früheste Porträt Boutsscher Prägung, sondern auch das erste, das Brüstung und Landschaft bildparallel hinter der Figur anordnet. Diese Eigenschaften teilt es sich mit dem Doppelbildnis des Berthold Tucher und seiner Gattin Christina Schmidtmayer (um 1484), das neuerdings einem unbekannten Nürnberger Meister zugewiesen wird (Abb. 32).[125] Die Figuren sind hier ebenfalls vor einer rückseitig zweifach durchfen-

Abb. 16
Michael Wolgemut: Bildnis eines jungen Mannes mit Nelke, um 1486, Detroit, The Detroit Institute of Arts

Abb. 17
Jacob Elsner: Bildnis einer Frau mit golddurchwirkter Haube, um 1500, Berlin, Staatliche Museen zu Berlin, Gemäldegalerie

sterten Wand mit Landschaftspanorama positioniert. Die Motivfülle und der Raum, den Wolgemut der Landschaft in seiner Bildkomposition zugesteht, bleibt jedoch einzigartig gegenüber den übrigen lokalen Porträts, in deren engem Bildausschnitt der Innenraum gegenüber dem schmalen Landschaftsstreifen deutlich dominiert. Neuartig in der Nürnberger Porträtmalerei ist auch Wolgemuts Kombination von Landschaftsausblick und textilem Fond, dessen flämisches Muster hier ebenfalls erstmalig Verwendung findet. Aufgrund der genannten Merkmale muss das *Bildnis des Levinus Memminger* nach derzeitigem Überlieferungsstand folglich als eines der herausragendsten und innovativsten Bildnisse der Nürnberger Porträtkunst im späten 15. Jahrhundert gelten, das bis zu Dürers Erscheinen den dortigen qualitativen *status quo* darstellte.

In der weiteren, stilistisch und künstlerisch heterogenen Nürnberger Porträtmalerei des späteren 15. Jahrhunderts überwiegen die Brust- oder Halbfigurenansichten vor monochromem Grund teils namenloser, teils zugezogener Künstler.[126] Namentlich herausstechend sind die Bildnisse Jacob Elsners, die sich künstlerisch zwischen Wolgemut und Dürer positionieren. Offensichtlich ist dies im *Bildnis einer Frau mit golddurchwirkter Haube* vor einer grünen, floralen Tapisserie (um 1500),[127] dessen Format, Bildausschnitt und Ausstattung deutlich an die weiblichen Tucher-Bildnisse anschließt (Abb. 17). An Wolgemuts Porträt in Detroit erinnert wiederum Elsners qualitätvolles Nürnberger Männerbildnis, das in derselben verschnörkelten Schönschrift neben dem Kopf auf grünem Grund die Initialen »J« und »K« zeigt.

Dürers frühe Porträts im Spiegel ihrer Vorläufer

Die genannten Entwicklungen bildeten die lokale künstlerische Folie, vor der Dürers Porträtmalerei in den 1490er Jahren ihren Ausgang nahm. In seinen ersten Bildnissen – mit den beiden Elternporträts (1490) und dem Selbstbildnis von 1493 ausschließlich »private« Arbeiten – verwendete der Künstler zunächst das Halbfigurenschema vor monochromem Grund. Jüngste Untersuchungen zeigen jedoch, dass bereits der Tafel des Vaters ursprünglich die Komposition eines perspektivischen Raums mit Fenster und Landschaft zugrunde lag, die in der Ausführung aufgegeben wurde.[128] Dieses Motiv erprobte Dürer etwas später und in unterschiedlichen Varianten in einer Gruppe von Bildnissen, die in zeitlich enger Nachbarschaft entstanden. Während das *Bildnis einer jungen Frau mit geflochtenem Haar*[129] (um 1497, Abb. 18) noch eine seitliche Wandöffnung aufweist, befinden sich im Madrider *Selbstbildnis*[130] von 1498 (Abb. 19) wie auch im Bergamasker Männerporträt[131] (um 1498, Abb. 20)

Fenster und Landschaft in paralleler Anordnung hinter den Figuren. Dieses Schema kennzeichnet auch die Komposition der sog. *Haller-Madonna*[132] (um 1498, Abb. 21): Mit dem nobilitierenden Ehrentuch, das Maria dort hinterfängt, wird parallel zum Bild aus Bergamo die Kombination aus Fenster und Wandbehang als Hintergrundmotiv in Dürers Porträtmalerei eingeführt. Charakteristisch für alle drei genannten Kompositionen ist ferner die Positionierung der Figuren zwischen zwei Brüstungen, dem hinteren Fenstersims und der Begrenzung der vordersten Bildzone, auf welcher die Arme der Porträtierten ruhen.

Eine weitere Porträt-Gruppe bilden die zeitlich nachfolgenden Auftragsbildnisse der Familie Tucher (Abb. 24) und des Oswolt Krel[133] (Abb. 22), in denen die genannten kompositorischen Merkmale in reduzierterer Form zum Einsatz kommen. Die räumlichen Angaben beschränken sich im Falle der Tucher auf lediglich eine rückwärtige Fensterbank. Auch erscheint die gemusterte Tapisserie, welche die Figuren hier wie dort einfasst, nicht mehr als Wandschmuck neben einem profilierten Fensterrahmen, sondern ist augenscheinlich unmittelbar vor den daneben sich öffnenden Landschaftsausblick geblendet. Die geschilderte Raumsituation wird im nunmehr großformatigen Porträt Oswolt Krels nochmals variiert: Dieser ist dargestellt als Halbfigur, den rechten Arm auf einer imaginären Brüstung ruhend, vor einem roten, offenbar texti-

Abb. 18
Albrecht Dürer: Bildnis einer jungen Frau mit geflochtenem Haar, um 1497, Berlin, Staatliche Museen zu Berlin, Gemäldegalerie

Abb. 19
Albrecht Dürer: Selbstbildnis, 1498, Madrid, Museo Nacional del Prado

Abb. 20
Albrecht Dürer: Bildnis eines Unbekannten in roter Schaube, um 1498, Bergamo, Fondazione Accademia Carrara, Sammlung Lochis

Abb. 21
Albrecht Dürer: Maria mit Kind (Haller-Madonna), um 1498, Washington, National Gallery of Art

len Fond, der die Figur von dem linkerhand sichtbaren, schmalen Landschaftsausblick abschirmt. Durch den Wegfall der Fensterbank, welche die Figuren der Tucher-Bildnisse in einem Innenraum lokalisierte, verschwimmen hier die Grenzen zwischen Innen- und Außenraum nun in noch stärkerem Maße. Diese Bildnisgruppe markiert den Schlusspunkt in der Auseinandersetzung mit dem Fenstermotiv in Dürers Porträtmalerei, die nach der Zäsur des außerordentlichen Selbstbildnisses von 1500 dauerhaft zum monochromen Grund zurückkehrt.

Wie der Überblick zeigt, spiegelten Dürers frühe Bildnisse zum einen die Bandbreite der Aufgaben, Erscheinungsformen und Bildformate der noch jungen Gattung der Porträtmalerei in Deutschland und insbesondere in seiner Heimatstadt Nürnberg exemplarisch wider. Neben den Zeugnissen der eigenen Familiendokumentation und künstlerischen Selbstinszenierung[134] finden sich Auftragsbildnisse im Dienst von Repräsentation und *Memoria*, die sowohl Einzelporträts als auch Ehediptychen umfassten. Zum anderen setzte Dürer sich in seinen Bildnissen mit den damals virulenten Kompositionsmodellen auseinander, vor allem mit dem niederländischen Typus mit Fenster und Landschaft. Dessen Popularität in Süddeutschland schlug sich in seiner eigenen kurzen, aber intensiven Auseinandersetzung mit diesem Modell beispielhaft nieder. Hierfür stand Dürer in Nürnberg vor allem das Vorbild

Abb. 22
Albrecht Dürer: Bildnis des Oswolt Krel, 1499,
München, Bayerische Staatsgemäldesammlungen

Michael Wolgemuts vor Augen, dessen Bildnis des Levinus Memminger er noch als Lehrling in der Werkstatt seines früheren Meisters gesehen haben könnte. Für Dürers frühe Porträts präsentiert sich insbesondere dieses Vorbild als eine wichtige Anregung. Die bildparallele Anlage von Fenster und Landschaft und deren Kombination mit einer Tapisserie, die Lokalisierung der Figur im Innenraum zwischen zwei Brüstungen und die Pose des aufgestützten Armes an der vorderen Bildgrenze bilden Motive, die in diesem damals immer noch singulären und innovativen Werk erkennbar ihre Wurzeln haben.[135] Nach aktuellem Kenntnisstand waren Dürers Arbeiten in der damaligen Nürnberger Porträtmalerei die einzigen, die das Motiv des Wandbehangs von Wolgemuts Memminger-Bildnis aufgriffen; gemeinsam bildeten beide Werke zudem eine Minderheit in einem überwiegend durch monochromen Bildgrund dominierten Umfeld.

Vor dem genannten Hintergrund erweisen sich Dürers frühe Bildnisse als Werke auf dem damals aktuellen Stand der Nürnberger Porträtmalerei, die der lokalen Tradition grundlegend verpflichtet waren. Zugleich vermochten sie diese um eigene gestalterische und kompositorische Ansätze zu erweitern. Exemplarisch lässt sich das am Kasseler Bildnis der Elsbeth Tucher nachvollziehen: Charakteristisch in der Verarbeitung einheimischer Motive, markiert es in deren Verknappung zur Bildformel, analog zu den Weimarer Tucher-Bildnissen, einen Höhepunkt in Dürers Auseinandersetzung mit dem niederländischen Porträttypus Nürnbergischer Prägung, die im Krel-Porträt ihren Abschuss findet. Zugleich manifestiert sich an der Tafel Dürers malerisch-technische Weiterentwicklung der lokalen Bildnismalerei: Durch die Sensibilität und Sorgfalt der Modellierung und malerischen Ausführung von Elsbeth Tuchers Physiognomie ist der Realismus sowohl Pleydenwurffscher und Wolgemutscher Prägung als auch vorangehender Bildnisse des Künstlers selbst auf eine neue Qualitätsstufe gehoben. Der Gedanke der Individualität, der einen zentralen Aspekt des frühneuzeitlichen Porträts bildete, erhält hierdurch neuen künstlerischen Nachdruck, und wird zumal gegenüber der schematischen Schilderung von Kleidung und Hintergrund auch auf der Ebene der technischen Gestaltung untermauert. Der mimetische Oberflächenrealismus, der sich am Kasseler Bildnis beobachten lässt, bildete schließlich den Ausgangspunkt für die gleichermaßen physiognomische wie psychologische Durchdringung, welche Dürers Bildnisse nach 1500 kennzeichnen sollte.[136]

96 Albrecht Dürer, Entwürfe zur Einleitung in das Lehrbuch der Malerei und in die Lehre von menschlicher Proportion Nr. 5, 1512; siehe Rupprich 1966, S. 113.

97 Siehe Buchner 1953, S. 9-25; Löcher 1985, S. 31-56; Dülberg 1990; Beyer 2002, S. 33-103; Kemperdick 2006; Kemperdick 2011; Ausst. Kat. München 2011; Kopp-Schmidt 2014, S. 49-57; Ausst. Kat. Innsbruck 2016.

98 Siehe Dülberg 1990, S. 169-171; Krems/Ruby 2016 mit weiterer Literatur, vgl. auch S. 25-30 dieses Textes.

99 Eichenholz, 31,6 x 20,5 cm, London, The National Gallery; Ausst. Kat. Basel 2006, S. 25.

100 Kupferstich, 15,4 x 10,6 cm, Dresden, Staatliche Kunstsammlungen, Kupferstichkabinett; Hollstein, Bd. XLIX, S. 102, Nr. 37.

101 Siehe Ausst. Kat. Basel 2006, S. 51; Ausst. Kat. Brügge 2010, Nrn. 225, 226 und 227.

102 Lindenholz, 42,9 x 30,5 cm, Basel, Kunstmuseum; Ausst. Kat. Basel 2006, S. 48-51, Nr. 3. Vgl. außerdem Mittelrheinischer Meister (?): Bildnis der Friedrich Faut von Monsperg, um 1486, Rotbuchenholz, 26 x 22,5 cm, Frankfurt, Historisches Museum; Wolfgang Beurer: Bildnis eines Mannes, 1487, Holz, 37,3 x 27,5 cm, Madrid, Museo Thyssen Bornemisza. Siehe Buchner 1953, S. 46, Nr. 32; Dülberg 1990, S. 203, Nr. 93; Ausst. Kat. Basel 2006, S. 48-51, Nr. 3; Lübbeke 1991, S. 150-155, Nr. 34.

103 Holz, 54 x 46 cm, München, Bayerische Staatsgemäldesammlungen, Staatsgalerie Burghausen; Dülberg 1990, S. 204, Nr. 97.

104 Vgl. Hirschfelder 2012a, S. 110, Anm. 70 und 71 sowie Ausst. Kat. Brügge 2010, S. 125, 382 und 385.

105 Siehe Hinz 1974; Dülberg 1990; Vavra 2012; Bournet-Bacot 2014.

106 Siehe Löcher 1985, S. 31f. mit Beispielen.

107 Dülberg 1990, S. 170.

108 Vgl. Löcher 1985, S. 31, demzufolge das Allianzwappen auf der Rückseite des Diptychons »schon durch seine Verschließbarkeit den dokumentarischen Auftrag der Bilder vor ihrem Schauwert« bestätige.

109 Vgl. exemplarisch Dülberg 1990, S. 64; Kemperdick 2006, S. 32 und Krause 2011, die jeweils den Tafelbildnissen einen familiären oder öffentlicheren Rezipientenkreis zuweisen.

110 Siehe Löcher 1985, S. 38f.; Dülberg 1990, S. 64. Zur Bildpraxis siehe auch die Beiträge in Krems/Ruby 2016; zur möglichen Aufstellung Schmidt 2016.

111 Für das Jahr 1499 sind im engeren Familienkreis der Tucher-Brüder weder Geburts-, noch Sterbedaten verzeichnet; der zweite Sohn von Hans XI., Jakob I., war bereits 1498 geboren worden. Im Jahr 1499 besetzte der Vetter Endress III. im Rat die Position eines jüngeren Bürgermeisters, während Anton II. im Kreis der älteren Herren (Septemvirn) an politischem Einfluss kontinuierlich aufgestiegen war und auch der Tucherschen Handelsgesellschaft zu weiterer Blüte verhalf. Mit Sixtus I. hatte ein weiteres Familienmitglied als Probst von St. Lorenz das bedeutendste Kirchenamt der Stadt inne, der zudem Ansehen als humanistischer Gelehrter und juristischer Ratsberater genoss. Vgl. Fleischmann 2008, Bd. 2, S. 1014-1017; zu Sixtus zusammenfassend Landois 2014, S. 313-324.

112 Hans' Übernahme des verantwortungsvollen Beamtenpostens des Losungsschreibers hätte sicherlich Anlass für einen Porträt-Auftrag geboten, ihr Zeitpunkt ist allerdings unklar. Das *Große Tucherbuch* vermerkt hierzu lediglich, dass Hans die Geschäfte des Vaters »doch letztlich fallen ließ« zugunsten der Steuerbehörde, für die er »lange Jahr und bis in sein Gruben« tätig war. Siehe Tucherbuch 2004, Fol. 103v.

113 Als familieninterner Vergleich weisen die Datierungen der Bildnisse von Hans VI. und seiner zweiten Ehefrau Ursula Harsdörffer (1478 und 1480) in die zeitliche Nähe der Vermählung des Paares (1477) bzw. von Hans' Rückkehr aus Jerusalem und der nachfolgenden Ernennung zum älteren Bürgermeister. Eine ähnliche Verquickung von Anlässen ist für das undatierte Doppelbildnis Bertholds V. und seiner Frau Christina Schmidtmayer zu vermuten, da 1484 das Heiratsdatum des Paares war und Berthold im Jahr darauf Mitglied des Großen Rates wurde.

114 Siehe nachfolgend Buchner 1953, S. 10f.; Wilckens 1971, S. 60; Strieder 1993, S. 52-104; Suckale 2009, Bd. 1, S. 8-11 und 282-289; Hirschfelder 2012b, S. 340f.; Kranz 2016, S. 96-103.

115 Strieder 1993, S. 54.

116 Laut Buchners inzwischen zum Teil inhaltlich überholter Aufstellung stammt über ein Viertel aller erhaltenen deutschen Bildnisse des 15. Jahrhunderts aus Nürnberg. Buchner 1953, S. 10.

117 Pergament (?) auf Lindenholz, 33,3 x 24,4 cm; Nürnberg, Germanisches Nationalmuseum, Ausst. Kat. Nürnberg 2012, S. 343, Nr. 57.

118 Lindenholz, 28,5 x 21 cm, Nürnberg, Museum Tucherschloss; Ausst. Kat. Nürnberg 2012, S. 350, Nr. 60f.

119 Lindenholz, 29,2 x 22,7 cm, Kassel, Museumslandschaft Hessen Kassel, Gemäldegalerie Alte Meister, Inventar-Nr. GK 4; Kat. Kassel 1997, S. 307-314.

120 Lindenholz, 33,7 x 22,9 cm, Madrid, Museo Thyssen-Bornemisza; Lübbeke 1991, S. 392-395, Nr. 90. Levinus Memmingers Familie zählte zu den ehrbaren Geschlechtern der Stadt Nürnberg, jedoch nicht zum Patriziat. Der aus der Steiermark zugewanderte Vater war Oberster Kämmerer Kaiser Friedrichs gewesen, von dem er einen Wappenbrief erhielt. Städtische Quellen nennen Memminger als Safranschauer und Stadtrichter (letzteres ungewiss). Neben seinem Porträt gab Memminger bei Wolgemut den sog. *Katharinenaltar* (1485/1486) für St. Lorenz in Auftrag, dessen Figur des Hl. Veit seine Züge trägt. Siehe Grieb 2009, S. 442; Strieder 1993, S. 76-80; zuletzt Ausst. Kat. Nürnberg 2012 mit weiterer Literatur.

121 Siehe Ausst. Kat. München 2011, S. 72, Nr. 34.

122 Als Auflösung der Initialen wurde jüngst die im Memorialkontext verbreitete Formel »Hoc momentum habet« (›Dies ist das Denkmal von ...‹) vorgeschlagen, siehe Hirschfelder 2012b, S. 340.

123 Holz, 33,4 x 23 cm, Detroit, Institute of Arts; Strieder 1993, S. 204, Nr. 56.

124 Vgl. Nürnberger Meister: Bildnis eines jungen Mannes, um 1490, Lindenholz, 49,7 x 36,8 cm, Frankfurt, Städel Museum; Fränkischer oder Mittelrheinischer Meister: Bildnis eines Mannes mit Nelke, 1490, Birn- oder Nussbaumholz, 34,9 x 25,3 cm, Privatbesitz; Nürnberger Meister von 1491: Bildnis eines jungen Mannes, 1491, Holz, 47,6 x 33, New York, Metropolitan Museum; Nürnberger Meister, Bildnis eines 34-jährigen Mannes, 1491, Lindenholz, 39,2 x 26,3 cm, Salzburg. Siehe Buchner 1953, S. 133-136, Nr. 148-149; Kat. Frankfurt 2002, S. 368-374; Ausst. Kat. München 2011, S. 72-75, Nr. 36.

125 Vgl. Hirschfelder 2012c, S. 347f.; Kemperdick 2012, S. 349; und Ausst. Kat. Nürnberg 2012, S. 352, Nr. 62 mit weiterer Literatur.

126 Siehe Buchner 1953, S. 10f., mit älterer Aufstellung auf S. 207-212, Nr. 136-163; Strieder 1993, S. 93-104 sowie S. 240, Nr. 88-90.

127 Tannenholz, 32 x 23 cm, Berlin, Staatliche Museen, Gemäldegalerie; Buchner 1953, S. 212, Nr. 160.

128 Siehe Hirschfelder 2012a, S. 105f.

129 Leinwand, 56,5 x 42,5 cm, Berlin, Staatliche Museen, Gemäldegalerie; Ausst. Kat. Frankfurt 2013, S. 102f.

130 Holz, 52 x 41 cm, Madrid, Museo Nacional del Prado; Anzelewsky 1971, S. 154-156, Nr. 49.

131 Holz, 52 x 40 cm, Bergamo, Accademia Carrara, Sammlung Lochis; Anzelewsky 1971, S. 163f., Nr. 59.

132 Holz, 52,4 x 42,2 cm, Washington, National Gallery of Art; Ausst. Kat. Nürnberg 2012, S. 337, Nr. 53.

133 Lindenholz, 49,7 x 38,9 cm, München, Alte Pinakothek; Ausst. Kat. Nürnberg 2012, S. 345, Nr. 59.

134 Vgl. Hirschfelder 2012a, S. 106f.

135 Vgl. u.a. Wilckens 1971, S. 60; Strieder 1993, S. 200 (unter Nr. 47).

136 Vgl. Ausst. Kat. Nürnberg 1971, S. 279-281; Schütz 2011.

Zwischen Tradition und Innovation: Elsbeth Tucher im Vergleich

Ist mit den vorstehenden Ausführungen in grundsätzlicher Weise der Standort des Kasseler Bildes im Nürnbergischen und Dürerschen Porträtschaffen angezeigt, so ist sein künstlerisches Verhältnis zu diesen im Folgenden noch genauer zu bestimmen.

Die Weimarer Tucher-Bildnisse

In besonderem formalen wie familiären Bezug zur Kasseler Tafel stehen innerhalb des Dürer-Œuvres die Weimarer Bildnisse von Hans und Felicitas Tucher[137] (Abb. 23), die im gleichen Jahr entstanden wie diese.[138] Es handelt sich bei ihnen um eines der wenigen erhaltenen Ehediptychen des 15. Jahrhunderts im deutschsprachigen Raum, und wohl um das früheste in Nürnberg bewahrte Exemplar, das Fensterausblick und Landschaft miteinander kombiniert. In spiegelsymmetrischer Zuordnung erscheinen die Eheleute jeweils vor einem roten Stoffbehang mit Granatapfelmuster, der auf dem weiblichen Bildnis ein grün schmimmerndes Ornament aufweist. Der ungleichmäßige Pinselauftrag und das Zusammenspiel hellerer und dunklerer Farbnuancen verleihen den Tapisserien eine belebte, stellenweise plastisch wirkende Oberfläche, die im weiblichen Bildnis sogar den Anschein von Lichtreflexen auf Seidenmaterial erzeugt.[139] Auch ist dort der Landschaftsausblick etwas breiter, und obwohl beide Panoramen als ein durchgehendes Raumkontinuum gedacht sind, fügt sich der ansteigende Pfad mit schroffen Felsen unter wolkigem Himmel nicht nahtlos an die Ebene mit See, Kirchturm und Schneegipfeln an, die das Männerbildnis zeigt. Hans ist von hagerer Gestalt mit schmalem Gesicht und langer Nase, deren Äußeres noch eine Ahnung von der kränklichen Konstitution seiner Jugend behält.[140] Seine schwarze pelzbesetzte Schaube und das schwarze Barrett auf den schulterlangen brauen Haaren entsprechen der Ausstattung des Nürnberger Patriziers. Auf dem Daumen der rechten Hand, die vom Bildrand beschnitten ist, trägt er einen stein- oder siegelverzierten Ring und hält einen weiteren vor seiner Brust, den Blick geradeaus auf seine Ehefrau Felicitas gerichtet. Diese ist im Gegensatz zu ihm als robuste, fülligere Gestalt mit fleischiger Hals- und Schulterpartie charakterisiert. Die Nelke in ihren Fingern korrespondiert als Zeichen ehelicher Verbundenheit mit dem Treuering ihres Mannes, dessen Blick sie jedoch nicht erwidert, sondern stattdessen zum Betrachter schaut. In Kleidung und Schmuck gleicht Felicitas' Erscheinung der ihrer jüngeren Schwägerin

Abb.23
Albrecht Dürer: Diptychon von Hans und Felicitas Tucher, 1499, Weimar, Klassik Stiftung Weimar

Abb. 24
Montage
Abb. 1 und 23

Elsbeth, von der sie sich jedoch in Details wie dem gestreiften Haubenornament, dem schwarz gemusterten Hemdsaum und der feingliedrigeren Kette sowie den Initialen »H T« des Heftleins unterscheidet. Analog zur Inschrift des Kasseler Bildes sind auf den Oberkanten beider Tapisserien in goldener Frakturschrift Name und Alter der Dargestellten sowie das Bilddatum in jeweils leicht voneinander abweichendem Wortlaut und Schriftbild wiedergegeben.[141] Die beschriebenen Eigenschaften der Bildpendants kennzeichnen das Diptychon in zweifacher Weise. Veranschaulichen die formalen Entsprechungen dem Bildtypus gemäß die Zusammengehörigkeit der Partner, vermögen die Unterschiede in Kopfhaltung, Gestik und Hintergrundgestaltung über den bloßen Anspruch gestalterischer Abwechslung hinaus zugleich, im Einklang mit dem gegensätzlichen Äußeren der Eheleute, deren Individualität zu untermauern.[142]

Ein Vergleich der Weimarer Bilder mit der Kasseler Tafel (Abb. 24) offenbart in Format, Bildausschnitt und Komposition sowie in der graphischen, konturbetonten Gesamtanlage ausgeprägte Übereinstimmungen der Tafeln, die auf die Verwendung eines einheitlichen Bildschemas für die ursprünglich vier Gemälde verweisen. Folglich kann das Weimarer Bildpaar auch für den Charakter des Diptychons, zu dem das Kasseler Porträt ursprünglich gehörte, einige Aufschlüsse liefern. Es vermittelt eine Vorstellung sowohl vom Aussehen des verschollenen Pendants Niclas Tuchers als auch von dessen kompositorischem und formalem Verhältnis zum Kasseler Bildnis. Die Tatsache, dass dort anders als in Weimar die Frau den Ring hält, legt eine Vertauschung der Attribute nahe, so dass die Nelke, falls vorhanden, sich wohl entsprechend in Niclas' Hand befand. Sofern man den Bildnissen des *Großen Tucherbuchs* (Abb. 3) Glauben schenken darf, die sich nachweislich eng an die Dürersche Vorlage hielten, richtete Elsbeths Gatte den Blick jedoch nicht, analog zu Felicitas Tucher, auf den Betrachter, sondern auf seine Frau.

Neben ihrem grundsätzlichen formalen Gleichklang lassen sich zwischen den Weimarer Bildern und der Kasseler Tafel jedoch auch etliche Unterschiede feststellen.[143] Das erhaltene Diptychon kennzeichnet insgesamt ein größerer Detailreichtum und eine stärkere Sorgfalt in der Ausstattung des Bildraums und der Figuren. Dies gilt für Kleidung und Panorama ebenso wie für die Tapisserien, die unterschiedliche Farben und Muster aufweisen. Dem changierenden, zart goldgesäumten Stoff steht in Kassel eine graphische, zweidimensionale Fläche gegenüber, die unvermittelt an den Landschaftsausblick stößt. Auch die Inszenierung der Inschriften, die in Type und Wortlaut voneinander abweichen, fällt jeweils anders aus. Erscheint der Text in Weimar, angebracht auf dem musterlosen Saum der Tapisserie, als deren Bestandteil, so gibt er sich in Kassel als anti-illusionistisches Bildelement auf der Maloberfläche zu erkennen. Mangelt es dem Porträt Elsbeth Tuchers somit in der Ausstattung gegenüber den Weimarer Bildern an Illusionismus, so übertrifft

Abb. 25
Hans Burgkmair:
Bildnisse von Hans und Barbara Schellenberger, 1505 und 1507, Köln, Wallraf-Richartz-Museum & Fondation Corboud

Abb. 26
Hans Wertinger: Bildnisse von Wilhelm IV. Herzog von Bayern und Herzogin Jacoba von Baden, 1526, München, Alte Pinakothek

es diese darin in der Modellierung und malerischen Sorgfalt von Physiognomie und Inkarnat, die bei den Pendants deutlich flüchtiger und wenig akkurat ausfallen.[144]

Ein weiteres Unterscheidungsmerkmal zu den Weimarer Tafeln ist in der bislang wenig beachteten Buchstabenfolge »M H I M N S K« auf dem Haubenband der »Tucherin« gegeben, auf die in der Forschung zumeist lediglich als bislang unentschlüsselte, abgekürzte Bilddevise verwiesen wird. Devisen wurden ab dem 15. Jahrhundert mit zunehmender Beliebtheit aus dem fürstlichen Kontext in das autonome Porträt übertragen, dessen Darstellung sie auf der Schriftebene inhaltlich ergänzten.[145] Sie sind in Verbindung mit oder ohne Wappen, auf der Vorder- oder Rückseite des Bildes bezeugt, und häufig in die Kleidung der Porträtierten integriert. In deutscher oder lateinischer Sprache treten sie als allgemein bekannte wie auch persönliche Aussprüche oder Zitate in Erscheinung, die oftmals eine fromme oder moralisierende Aussage transportieren. Ein bekanntes Beispiel liefern Cranachs Bildnisse Sibylle von Cleves, die stets mit deren persönlichem Motto »Als in eren« als Stickarbeit an der Halsbordüre und Haube versehen sind.[146] Dass derlei

Abb. 27
Rückseite
Männerbildnis,
Abb. 26

Inschriften tatsächlich an realem Schmuck getragen wurden, belegt unter anderem das Beispiel eines süddeutschen, in Nürnberg von Patrizierinnen zur Hochzeit getragenen Brautkrönchens aus der Mitte des 15. Jahrhunderts, das zwischen Perlenreifen die Devise »trewelich« [treulich] in freistehenden Buchstaben zeigt.[147] Eine populäre Devise stellt der Ausspruch »A bon fino/ a bon fine« (»zu gutem Ende«) dar, der sich u.a. bereits bei Hans Burgkmairs Bildnissen von Hans und Barbara Schellenberger[148] (1505/07, Abb. 25) und später auf Hans Wertingers Porträts von Wilhelm IV. Herzog von Bayern und seiner Gemahlin Jacoba[149] (1526, Abb. 26) jeweils auf dem Mieder bzw. Brusttuch der Damen findet. Die Rückseite von Wertingers Männerbildnis ziert wie bei Dürers Tucher-Bildnissen das Allianzwappen des Paares, das ergänzend mit zwei jeweils den Partnern zugeordneten, auf Banderolen platzierten Aus-sprüchen versehen ist: »Ich habs im hercz W.H.I. Bairn« sowie »[Mein][150] hercz [als gemaltes rotes Herz] ist gancz dein aigen. Jacoba H.i. Baden« (Abb. 27). Gegenüber dem bekannten Motto der Vorderseite scheinen die rückseitigen Sprüche ein eher privates Zeugnis partnerschaftlicher Treue und persönlicher Zugewandtheit zu vermitteln.

Derlei allgemeinere oder individuelle Wahlsprüche verbergen sich wohl auch hinter den Buchstabenfolgen zahlreicher Bildnisse, die ebenso wie die ausformulierten Devisen häufig auf Kleidungsstücken anzutreffen sind. Analog zur »Tucherin« ziert auch Dürers Berliner Tüchlein-Gemälde der sog. Fürlegerin auf der Hemdborte die überdurchschnittlich lange Initialenreihe »KTATDTDTSTWT« (Abb. 18), die auf der Leipziger Kopie durch die kürzere Folge »KADDEW« ersetzt ist.[151] Wie auf dem Kasseler Bildnis sind Initialen oftmals auf der Zierborte der Haube angebracht, wo sie als Perlenstickerei einen dekorativen Bestandteil der Kleidung bilden. Ein frühes Beispiel hierfür liefern die Initialen »I P N G« auf dem *Bildnis einer jungen Frau* des Meisters der Ursula-Legende[152] (um 1500, Abb. 28), dem u.a. eine Vielzahl von Bildnissen bekannter oder unbekannter Damen von der Hand Lucas Cranachs d.Ä. folgt, darunter jenes der Maria von Sachsen mit Brautkranz[153] (1535), deren Stirnborte mit den Buchstaben »E W R H« bestickt ist. Die abgekürzten Devisen geben dem heutigen Betrachter zumeist Rätsel auf, erschwert durch die Tatsache, dass sich das Wissen um die Identität der Dargestellten sowie um den Kontext, Anlass und Ort der jeweiligen Porträts oftmals verloren hat. Zu ihrer Zeit müssen die Buchstabenfolgen jedoch verständlich gewesen sein: entweder als allgemein bekannte Aussprüche, die problemlos zu entschlüsseln waren, oder aber als persönliche Aussagen von privatem Charakter, die nur von einem exklusiven Rezipienten(kreis) verstanden werden konnten oder sollten.

Die Eigenschaft des Kasseler Porträts als Familiendokument und Bestandteil eines Ehediptychons, sowie das Fehlen eines bekannten Leitspruchs aus dem Umkreis der Tucher geben Anlass zu der Vermutung, dass dessen Initialen, vielleicht in Entsprechung zum Bildnis Niclas Tuchers, womöglich auch einen individuellen Treuespruch in der Art der

Abb. 28
Meister der Ursula-Legende: Bildnis einer jungen Frau,
um 1500, Köln, Wallraf-Richartz-Museum & Fondation Corboud

Wertinger-Gemälde (Abb. 26) abkürzen.[154] Mit dem dortigen, der Ehefrau zugeordneten Ausspruch besitzt die Buchstabenfolge in Kassel zudem eine Gemeinsamkeit in den ersten drei Initialen (»M H I [...]«/»Mein hercz ist [...].«). Ungewöhnlich gegenüber den vergleichbaren zeitgenössischen Initialen erscheint im Falle der »Tucherin« die Gestalt der Buchstaben. Diese sind nicht als Schmuckelemente in die Ausstattung integriert, sondern in unterschiedlichen, innerhalb des Bildes verwendeten Farbtönen auf das Stirnband geschrieben. Diese ungewöhnliche Präsentation und Farbigkeit der Initialen verleiht diesen besondere Auffälligkeit, die vielleicht mit der hier getroffenen Aussage korrespondiert.

Wie der Vergleich der Bildnisse in Kassel und Weimar zeigt, legte Dürer allen (erhaltenen) Tafeln ein einheitliches Bildschema zugrunde, welches er in den Einzelbildern durch die Modifizierung von Motiven, Bilddetails und des jeweiligen Ausführungsgrades individualisierte (Abb. 24). Das Verhältnis aus Einheitlichkeit und Variation, das bereits das Weimarer Bildpaar kennzeichnete, bestimmt somit ebenso die Beziehung der Diptychen zueinander. So vermag es hier zum einen der Individualität der Paare, zum anderen deren familiärer Zugehörigkeit visuellen Ausdruck zu verleihen.

Ungeachtet der Ähnlichkeit der Diptychen hat die bemerkenswerte Tatsache, dass die Tucher-Brüder Hans und Niclas zum gleichen Zeitpunkt zwei annähernd identische Bildnis-Paare von sich und ihren Ehefrauen anfertigen ließen, in der Forschung bislang keine Berücksichtigung gefunden. Die Einheitlichkeit der Porträts wurde dort, und dies auch nur vereinzelt, lediglich konstatiert und allgemein dem Wunsch der Auftraggeber zugeschrieben.[155] Vor dem Hintergrund der Tucherschen Gedächtnis-Kultur lässt sich jedoch auch eine inhaltliche Implikation dieses Doppelauftrags erschließen: In der visuellen und formalen Betonung der familiären Zusammengehörigkeit präsentieren sich die Brüder im Bildnis, im Einklang mit den Eigenschaften der Gattung des Ehediptychons, nicht nur als Individuen, sondern insbesondere als Angehörige des Tucher-Clans, dessen genealogische Reihe sie, gemeinsam mit ihren Ehefrauen und zukünftigen Kindern, fortsetzen. Die Homogenität der Bildgestaltung steht hierbei im Dienst der visuellen Identitätsstiftung. Als Gruppe betrachtet, offenbaren Dürers Tucher-Bildnisse, und damit das Kasseler Porträt, somit auch in gestalterischer Hinsicht ihre besondere Ausrichtung auf die familiäre *Memoria*.[156]

Die Unterschiede in der malerischen Ausführung, die zwischen den Diptychen bestehen, legen eine chronologische Entstehung der Tafelpaare nahe, in deren Verlauf das gestalterische Konzept grundlegende Veränderungen erfuhr. Auf so engem zeitlichen Raum lassen diese sich kaum mit einer stilistischen Entwicklung,[157] sondern wohl vielmehr mit Dürers Erprobung verschiedener Gestaltungsmodi[158] und den individuellen Vorstellungen der Auftraggeber bzw. Dargestellten erklären.[159] Die summarische Behandlung einzelner Bildbereiche, die Verwendung eines Bildschemas, das kleine Format, welches gleichwohl auch dem Bildtypus Diptychon geschuldet ist, und, beobachtet anhand der Kasseler Tafel, das weniger hochwertige Trägermaterial[160] verdeutlichen, dass Dürer bei der Herstellung der Tucher-Bilder geringeren Aufwand betrieb als etwa im zeitgleich entstandenen Auftragsporträt Oswolt Krels (Abb. 22). Bei sehr ähnlicher Komposition zeichnet sich dieses durch einen insgesamt deutlich höheren Detailrealismus aus. Sowohl das Inkarnat als auch die Ausstattung weisen die gleiche malerische Sorgfalt und Differenziertheit auf, von der lediglich die formelhaft angelegte Landschaft ausgenommen bleibt.[161] Dies, das Großformat und die gesteigerte kompositorische Originalität zeigen gemeinsam den repräsentativen Charakter des Gemäldes an.[162] Demgegenüber deuten die Eigenschaften der Tucher-Diptychen in ihrer Summe auf eine vergleichsweise schnellere und folglich wohl auch günstigere Produktion der Bildnisse hin. Diese mochte ihre Gründe haben zum einen in bescheideneren Ambitionen der Auftraggeber, zum anderen im Status der Bilder als Ehediptychen und Familiendokumente, der mit anderen Interessen und gestalterischen Vorgaben verbunden war.[163]

Dürer und Wolgemut

Mit Blick auf die Porträtproduktion in Nürnberg vor 1500 stellen sich die Kasseler Tucher-Tafel und ihre Weimarer Pendants in formaler Hinsicht als charakteristische Werke ihres künstlerischen Umfeldes dar. Ihr Format entspricht etwa demjenigen der Hälfte der dort überlieferten Bildnisse,[164] ihre Bildkomposition mit Fenster und Landschaft aber eher einer Minderheit in Nürnberg, wo ungeachtet der süddeutschen Verbreitung des niederländischen Porträttypus der monochrome Fond weiterhin den Standard bildete.

Unter den Nürnberger Porträts boten allein die Werke Michael Wolgemuts künstlerische Anknüpfungspunkte für Dürers Tucher-Bildnisse. Dies bezieht sich zunächst auf die Bildnisse der Schwiegereltern Elsbeth Tuchers, Hans Tucher und Ursula Harsdörffer (Abb. 14). Die Porträts der jüngeren Familienmitglieder entsprechen ihnen nicht nur in Format, Figurentypus und Motivik, wie der Darbietung von Ring und Blume, sondern auch in weiteren Bilddetails. So sind etwa die Position und Gestalt der dortigen Versalien-Inschrift als vorbildhaft für das Kasseler Bildnis anzusehen. Wie im Bildnis Ursula Tuchers ist bei Dürers weiblichen Porträts der Vorname des Mannes hinter dem der Ehefrau genannt und der Nachname mit weiblichem Suffix versehen (»Elsbeth Niclas Tucherin«). Hierbei handelt es sich um eine in Nürnberg allgemein gängige Form der Benennung verheirateter Frauen, die u.a. in zeitgenössischen Tucherschen Familienakten, weiteren Schriftquellen sowie Inschriften lokaler Porträts der Epoche belegt ist.[165] Dem Bildnis Hans Tuchers wiederum entspricht in Kassel und Weimar die Angabe des Alters wie auch das in eigener Zeile aufgeführte Datum der Bildproduktion. Auch die materielle Veredelung des Bildes durch partielle Blattvergoldung, die im Porträt Ursula Tuchers u.a. an der Schnürung des Oberteils noch in Resten zu finden ist, kommt in den jüngeren Bildnissen nicht nur ebenfalls vor, sondern zeigt sich in der Vergoldung des Heftleins auch an ähnlicher Bildstelle.

Neben Wolgemuts Tucher-Pendants bildet das Bildnis des Levinus Memminger (Abb. 15) die zweite wichtige Referenz für Dürer. Sein allgemeiner Vorbildcharakter für dessen frühe Porträts manifestiert sich in den erneut formatgleichen Bildnissen der Familie Tucher zunächst in der kompositorischen Formel, die hier durch das Weglassen der vorderen Brüstung leicht variiert wird. Auch die bildräumliche Position der Figuren auf der Grenze zwischen Tapisserie und Landschaft und die Einfassung der Gesichtskontur durch letztere offenbaren im Vergleich ihr direktes Vorbild bei Wolgemut. Gestalt und Dekor der Initialen des Heftleins, das Elsbeth und Felicitas Tucher tragen, lassen außerdem eine formale Ähnlichkeit mit den prominent platzierten Goldbuchstaben des Memminger-Porträts und deren floral-ornamentalen Einfassungen erkennen, die in vergleichbarer Gestalt auch auf Wolgemuts Detroiter Männerbildnis wiederkehren. Schließlich bildet auch die rätselhafte Buchstabenfolge eine weitere Gemeinsamkeit zwischen den Bildnissen von Lehrer und ehemaligem Schüler.

Das prägende Vorbild Wolgemuts, das sich im direkten Vergleich der Werke zeigt, schließt weitere Anregungen, die Dürer auch außerhalb von Nürnberg auf der Wanderschaft gewonnen haben konnte, zwar nicht aus, lässt sie jedoch nicht als zwingend notwendig erscheinen. Daher war der Künstler zur Erlangung seiner Bildlösung auch nicht auf die Kenntnis der Tafeln des am Mittelrhein tätigen Wolfgang Beurer angewiesen, die in diesem Zusammenhang oftmals als unmittelbare Inspiration genannt werden.[166] Beurers im Frankfurter Städel aufbewahrte Bildnis-Pendants[167] (um 1495-1500, Abb. 29) besitzen die gleiche kom-

Abb. 29
Wolfgang Beurer: Bildnisse eines Mannes und einer Frau, um 1495-1500, Frankfurt, Städel Museum

positorische Grunddisposition wie die Tucher-Bildnisse, verzichten wie diese auf eine vordere Brüstung und zeigen, im Unterschied zum *Millefleur*-Dekor des Memminger-Porträts, ebenfalls eine Tapisserie mit Granatapfelmuster. Dieses für die mittelalterliche Weberei typische Ornament erfreute sich seit dem 2. Drittel des 15. Jahrhunderts großer Beliebtheit.[168] In beträchtlicher Variationsbreite von Dekoren und Farben findet es sich auf italienischen Seidenstoffen, die u.a nach Nürnberg exportiert und in der repräsentativen Raumausstattung eingesetzt wurden.[169] Mit hoher Wahrscheinlichkeit sind es also ebensolche Stoffe, die auf Dürers Tucher-Bildnissen zur Anschauung gelangen. Nicht nur im realen Raum, auch im Gemälde war der Dekor als Raumausstattung und Kleidungsstoff verbreitet.[170] In der Forschung gilt Dürers Verwendung des Granatapfeldekors in den Tucher-Bildnissen als ein Novum in der Nürnberger Porträtmalerei. Übersehen wurde bislang jedoch das 1485 auf Glas gemalte Porträt von Domprobst Lorenz I.[171] (Abb. 30), dessen Figur von einem Brokatstoff mit ebensolchem Muster hinterfangen wird, und damit sogar ein potentielles Vorbild aus der Reihe der vorangehenden Bildnisse der Tucher-Familie darstellt. Auch ein 1495 für die Nürnberger Patrizierfamilie Holzschuher in Brüssel gefertigter Grabteppich verwendet in der Darstellung der Gregorsmesse für die zahlreichen wiedergegebenen Textilien das Granatapfelmuster.[172] Dürer

Abb. 30
Michael Wolgemut
(Werkstatt):
Probst Lorenz Tucher,
1485, Nürnberg,
Germanisches
Nationalmuseum

hatte also auch in Nürnberg selbst malerische Beispiele für die Verwendung des Dekors vor Augen, ohne hierfür auswärtiger Vorlagen wie derjenen Beurers zu bedürfen. Mit der Verwendung eines Stoffes mit Granatapfelmuster führte Dürer also vielmehr ein in Nürnberg bereits virulentes Motiv in die dortige Porträtmalerei auf Holz ein. Der Charakter des Stoffes als Luxus-Exportartikel illustrierte zugleich den Wohlstand der Porträtierten.[173] Ein attributiver Hinweis auf den Tucherschen Handel mit kostbaren Textilien ist angesichts der Popularität des Dekors jedoch wohl eher nicht intendiert,[174] zumal es hierzu für den Steuerbeamten Hans XI. wenig Anlass gab.

Die Ähnlichkeiten bzw. Übereinstimmungen zwischen Wolgemuts Bildnissen und Dürers Tucher-Porträts weisen die Werke des Älteren als maßgeblichen Einfluss für den jüngeren Künstler aus. Eine Abweichung von diesen bildet der engere Brustausschnitt der Bildnisse, der die Büsten bereits unterhalb der Schultern beschneidet, während Wolgemuts Modelle als Halbfiguren mit sichtbaren Armen dargestellt sind. Da der Brustausschnitt in Nürnberg zuvor zwar in Einzelbildnissen,[175] nicht jedoch in Ehediptychen[176] belegt ist, muss seine Verwendung durch Dürer innerhalb dieses Typus als neuartig gelten. Durch die Verknappung des Ausschnitts rücken Dürers Figuren näher als bei Wolgemut an den Betrachter heran, dessen Aufmerksamkeit zugleich stärker auf die Gesichter, und im Kasseler Bildnis auf deren mimetische Schilderung, gelenkt wird.

Dürers gestalterischer und motivischer Anschluss an die Wolgemut-Bildnisse kennzeichnet seine eigenen Porträts in zweifacher Weise. Zum einen knüpft er hiermit an das bedeutendste Vorbild lokaler Porträtmalerei an, und stellt sich als ehemaliger Schüler Wolgemuts in dessen künstlerische Tradition. Zum anderen gliedert er seine Porträts in visueller Hinsicht in die Tuchersche »Ahnenreihe« ein. Mit dem Bezug auf das Bildnis Hans VI. ist nicht nur die familiäre Verbundenheit zwischen diesem und seinen Söhnen unterstrichen, sondern letztere konnten zugleich als Nachfolger ihres Vaters in optische Erscheinung treten, in dessen umfangreiche *Memoria*-Aktivitäten sie sich vermittels der Bildnisse einreihten.[177] Dürers Berufung auf denjenigen Künstler, der eine Generation zuvor bereits die Eltern seiner nunmehrigen Auftraggeber porträtiert hatte, lässt sich dabei ebenso als Fortführung der Familientradition begreifen. So wurde die Aufgabe der Bildnis-*Memoria* auch in künstlerischer Hinsicht in der nächsten Generation durch die Tucher-Söhne weitergeführt. Ungeachtet der grundlegenden Auseinandersetzung mit seinem früheren Lehrer, die Dürer in seinen frühen Porträts an den Tag legte, dürfte vor dem gegebenen Hintergrund der Bezug auf Wolgemut in den Tucher-Porträts mit hoher Wahrscheinlichkeit einem expliziten Wunsch der Auftraggeber entsprochen haben.

Weitere Porträts der Familie Tucher

Mit Wolgemuts Tucher-Bildnissen verbindet Dürers Porträts noch eine weitere Gemeinsamkeit. Sie alle gehören einer Reihe von Ehe- bzw. Doppelbildnissen an, die Mitglieder der jüngeren Tucher-Linie von sich anfertigen ließen. Das in dieser Hinsicht erste Bildnis zeigt Berthold IV., den Onkel von Hans XI. und Niclas II., und seine Gattin Anna Mendel, und ist nur in einer späteren Kopie von ca. 1550[178] erhalten (Abb. 31). Diese besitzt nur eingeschränkte Aussagekraft, zumal sie einen Landschaftsfond aufweist, der vermutlich nicht dem Original entspricht.[179] Die hier anzutreffende Komposition als Doppelbildnis vor bildparalleler Wand kann jedoch als authentisch gelten angesichts des späteren Doppelporträts von Bertholds gleichnamigem Sohn, dem Vetter der Dürerschen Tucher-Brüder, und dessen Frau Christina Schmidtmayer[180] (um 1484, Abb. 32). In der Bildanlage und Armgestik nimmt dieses offensichtlich auf das Vaterbildnis Bezug. Beide Figuren erscheinen hier

Abb. 31 Nürnberger Meister, um 1452 (Kopie um 1550): Bildnis von Berthold IV. und Anna Tucher geb. Mendel, Nürnberg, Museum Tucherschloss und Hirsvogelsaal / Museen der Stadt Nürnberg, Leihgabe der Tucherschen Kulturstiftung

Abb. 32
Nürnberger Meister: Bildnis von Berthold V. und Christina Tucher geb. Schmidtmayer, um 1484, Dessau-Roßlau, Anhaltische Gemäldegalerie

ebenfalls vor einer bildparallelen Fensterwand, durch deren zweifache Öffnung der Blick auf eine Landschaft mit Kirchturm fällt. Die Halbfiguren sind einander im Dreiviertelprofil zugewandt. Die Ehefrau blickt mit übereinander gefalteten Händen zu ihrem Gatten, dessen linker Arm offenbar den Rücken der Frau umfängt. Mit der rechten Hand präsentiert er seiner Partnerin einen Ring als Treuepfand. In den Motiven von Fenster und Landschaft, die neben Wolgemuts Memminger-Bildnis hier erstmalig in der Nürnberger Porträtmalerei auftreten, besteht eine Gemeinsamkeit mit Dürers Bildnissen, zumal die Gestaltung des Panoramas derjenigen auf der Tafel des Hans Tucher ähnelt.[181] Darüber hinaus bieten der Charakter des Doppelbildnisses, die kompositorische Anlage des Fenstermotivs mit doppelter Wandöffnung und ohne Tapisserie jedoch wenig Anknüpfungspunkte zu Dürer.

Wie bereits im Falle der Wolgemut-Bildnisse, so gewinnen auch hier die motivischen und kompositorischen Gemeinsamkeiten, die sich zwischen Dürers Tafeln und den Bildnissen von Onkel und Vetter feststellen lassen, eine inhaltliche Bedeutung vor dem Hintergrund der erweiterten familiären *Memoria*, deren Bestandteil sie sind. Im gestalterischen

Anschluss an ihre Vorgänger untermauern die Bildnisse die verwandtschaftlichen Bindungen der Tucher und werden als Bestandteil einer bildlichen Familiengenealogie definiert. Dass deren Gedanke im Tucher-Clan bereits vorgeprägt war, Dürers Porträts sich mithin auch hier in eine bestehende Tradition einfügten, legen wiederum die Gemeinsamkeiten zwischen den Bildnissen von Berthold IV. und dessen Sohn Berthold V. nahe. Deren Wahrnehmung im genealogischen Sinne wird bestärkt durch die Tatsache, dass beide Porträts in den 1550er Jahren, vielleicht im Auftrag des Sohnes bzw. Enkels Lazarus I.,[182] von der Hand desselben Meisters kopiert und einander durch die Hinzufügung des Landschaftsfonds optisch weiter angepasst wurden.[183] Zwar waren die visuellen Bezüge zwischen den Familienbildnissen aufgrund der unterschiedlichen Auftraggeber und Aufbewahrungsorte nicht an einem gemeinsamen Ort oder im Rahmen einer kollektiven Präsentation erfahrbar. Jedoch war mit ihnen eine bedeutsame integrative Klammer im Rahmen des familiären Gedächtnisses gegeben, welche die genealogische Kontinuität und Identität auch auf gestalterischer Ebene sichtbar machen konnte.[184]

Dürers Kasseler Bildnis und seine Weimarer Pendants spiegeln ihr unmittelbares künstlerisches Umfeld in vielfacher Weise wider. Der Künstler adaptierte hier den in Nürnberg weiterhin aktuellen niederländischen Porträt-Typus Wolgemutscher Prägung, mit dem er sich zum damaligen Zeitpunkt innerhalb seines Frühwerks intensiv beschäftigte. Diesen variierte er neben der komprimierten Bildformel zum einen in der Auswahl des engen Brustausschnittes, der in der Gattung des Ehediptychons neuartig war, zum anderen im populären Dekor des Granatapfelmusters, das so in Nürnberg Einzug in das gemalte Bildnis hielt. Hiermit überführte Dürer bekannte Motive in eine neue bildliche Synthese.

Zugleich band der Künstler seine Tucher-Porträts auch in gestalterischer Hinsicht gezielt in die familiäre *Memoria* ein. In ihrer persönlichen Charakterisierung und variierenden malerischen Ausführung treten die Dargestellten als Individuen in Erscheinung. In der kompositorisch-motivischen Anknüpfung an die Bildnisse von Vater und Vetter, deren Bindeglied Dürers Porträts bilden, und der visuellen Vereinheitlichung beider Diptychen rücken jedoch zugleich die Inszenierung von familiärer Identität und Zusammengehörigkeit, von Familiengedächtnis und dynastischer Kontinuität neben die individuelle *Memoria*. Die Traditionsgebundenheit, die sich in der Angleichung an die familiären Vorbilder zeigt, und die gleichzeitige künstlerische Aktualisierung der Bildnisse mochten auf der inhaltlichen Ebene als Ausdruck von Beständigkeit und Fortschritt des Geschlechts begriffen werden. Zwei maßgebliche Interessen der Auftraggeber scheinen sich in Dürers Bildgestaltung folglich zu manifestieren: die persönliche Einreihung in die Tuchersche Genealogie und *Memoria*-Pflege und deren ausdrückliche Fortsetzung in der nächsten, der eigenen, Generation. Für die einzigen überlebenden Söhne Hans VI., der als lokal bedeutende, der familiären Gedächtniskultur intensiv verpflichtete Tucher-Persönlichkeit ein gewichtiges Erbe darstellte, mögen diese Aspekte von besonderer Relevanz gewesen sein. Dies womöglich umso mehr, als dass die Söhne im Vergleich zum Vater weit weniger prominent hervorgetreten waren und ihr Anschluss an die väterliche Tradition im Bildnis somit eher symbolhaften Charakter besaß.

137 Lindenholz, 29,7/29,8 x 24,7/24,4 cm, Weimar, Klassik Stiftung Weimar; Ausst. Kat. Nürnberg 2012, S. 354f., Nrn. 64 und 65.
138 Siehe Hoffmann 1992; Hirschfelder 2012a, S. 107-113; Hirschfelder 2012c und Ausst. Kat. Nürnberg 2012, S. 354f., Nrn. 64 und 65 mit weiterer Literatur.
139 Vgl. hierzu Schmidt 2016, S. 46.
140 Laut dem Großen Tucherbuch (Fol. 103v) wurde er »in seiner Iugent der schnupfet Hanns Tucher genannt«.
141 Die Inschrift bei Hans lautet: »Hans Tucher / 42ierig /«, diejenige bei Felicitas: »Felitz / Hans /tucherin / 33 / jor / alt / SALVS [Anm.: in römischen Versalien] / 1499«.
142 Dieses Prinzip findet sich auch bei anderen Bildnis-Pendants von Eheleuten wie etwa den Porträts von Bernhard Strigel. Vgl. Anm. 168.
143 Zu den Unterschieden zwischen den Tucher-Bildnissen in Weimar und Kassel siehe Grimm 2002, S. 41-45; dagegen Hirschfelder 2012a, S. 111-113.
144 Zu diesem Aspekt und den angeführten Vergleichen siehe Hirschfelder 2012a, S. 111f.
145 Siehe allgemein Buchner 1953, S. 20f.; Löcher 1985, S. 42-45; Dülberg 1990, S. 127-133.
146 Vgl. u.a. Lucas Cranach d.Ä.: Sibylle von Cleve, 1533, Holz, 20 x 14 cm, Kopenhagen, Statens Museum for Kunst; Friedländer/Rosenberg 1979, S. 137, Nr. 337a.
147 Siehe Ausst. Kat. Gotha 1998, S. 150, Nr. 74.
148 Lindenholz, jeweils 41 x 28 cm, Köln, Wallraf-Richartz-Museum & Fondation Corboud; Kat. Köln 1986, S. 106.
149 Lindenholz, jeweils 68 x 45 cm, München, Alte Pinakothek; Dülberg 1990, S. 211f., Nr. 124-126.
150 Das Pronomen fehlt auf der Münchner Tafel, ist jedoch auf der Replik im Brukenthal-Museum, Sibiu vorhanden, siehe hierzu Ausst. Kat. München 2011, S. 258, Nr. 165-166.
151 Albrecht Dürer: Bildnis einer jungen Frau mit geflochtenem Haar, 1497, Leinwand, 56,5 x 42,5 cm, Berlin, Staatliche Museen, Gemäldegalerie; Bildnis einer jungen Frau mit aufgestecktem Haar, Holz, 58,5 x 42,5 cm, Leipzig, Maximilian Speck von Sternburg Stiftung im Museum der bildenden Künste Leipzig; siehe Ausst. Kat. Frankfurt 2013, S. 102f.; Ausst. Kat. Frankfurt/Leipzig/Berlin 2006, S. 11 und 13.
152 Eichenholz, 43,5 x 31 cm, Köln, Wallraf Richartz-Museum & Fondation Corboud; Buchner 1953, S. 37 und 187f., Nr. 19.
153 Lucas Cranach d.Ä.: Bildnis der Prinzessin Maria von Sachsen mit Brautkranz, 1534, Holz, 50 x 36 cm, Darmstadt, Hessisches Landesmuseum; Friedländer/Rosenberg 1979, S. 139, Nr. 348a.
154 Ähnlich Kat. Kassel 1997.
155 Siehe Strieder 1996, S. 232; Anzelewsky 2000, S. 84.
156 Vgl. ähnlich Kuhn 2007 im Hinblick auf die Funktion der religiösen Stiftungen der Tucher-Familie.
157 Siehe hierzu ausführlicher Hess/Mack 2012, S. 188-90.
158 Siehe Hirschfelder 2012a, S. 111-113.
159 So lässt sich die Verwendung der älteren Fraktur- und der »moderneren« Antiquaschrift wohl eher als Stilmodus denn als Hinweis auf die Entstehungschronologie der Werke begreifen, vgl. Flechsig 1928, Bd. 1, S. 363.
160 Vgl. S. 31.

161 Zu diesem Aspekt und den angeführten Vergleichen siehe Hirschfelder 2012a, S. 111f.
162 Vgl. Hirschfelder 2012b, S. 341.
163 Vgl. hierzu mit diesen und weiteren Beispielen Hirschfelder 2012a, S. 111-113; Hess/Mack 2012, S. 188-191.
164 Vgl. Formatangaben bei Buchner 1953, S. 207-217, Nr. 136-186.
165 Löcher 1985, S. 44f. Diese Benennung taucht auch in den Registern des *Großen Tucherbuches* von 1590 auf, siehe Kuhn 2010, S. 340, Abb. 17. Das ebenfalls in Kassel aufbewahrte Porträt der Magdalena Neudorffer (1527) von Barthel Beham bietet mit der Beschriftung »Magdalena Iohann Neudorfferin (...)« ein weiteres Beispiel. Eine latinisierte Variante weist Hans Schäuffeleins Porträt von Lorenz II. Tucher und Katharina Straub (1534) mit der Bezeichnung »Caterinae Straubiae Laurentii Tucheri« auf. Barthel Beham (?): Bildnis der Magdalena Neudorffer, 1527, Holz, 50,1 x 38,3 cm, Kassel, Museumslandschaft Hessen Kassel, Gemäldegalerie Alte Meister, Inventar-Nr. GK 9 und 10; Kat. Kassel 1997, S. 41-50; Hans Schäuffelein: Lorenz Tucher und Katharina Straub, 1534, Eichenholz, 41 x 34 cm, Nürnberg, Museum Tucherschloss; Dülberg 1990, S. 205, Nr. 101-102.
166 Siehe Kat. Kassel 1997, S. 118f.; Kat. Frankfurt 2002, S. 346-57. Dürers Besitz einiger Zeichnungen Beurers verweist auf eine mögliche Begegnung beider Künstler während der Wanderschaft des Nürnbergers, und damit mutmaßlich auch auf dessen Kenntnis von Beurers Porträts. Siehe ebd.
167 Lindenholz, jeweils 45,4 x 33,6 cm, Frankfurt, Städel Museum; Kat. Frankfurt 2002, S. 346-57.
168 Im fortschreitenden 16. Jahrhundert blieben Bildmotiv und Ornamentdekor weiterhin populär und entwickelten sich in den Bildnissen Bernhard Strigels schließlich zur standardisierten Bildformel. Vgl. u.a. die Bildnisse eines Mannes und einer Frau, um 1525, Lindenholz, 42,2 x 29,2 cm, Wien, Liechtenstein-Museum; Ausst. Kat. Basel 2006, S. 57-61, Nr. 5.
169 Nach 1500 kam der Dekor auch auf einheimischen Webereiprodukten zum Einsatz. Siehe Böckem 2012, S. 58f., Ausst. Kat. Nürnberg/New York 1986, S. 208f.; Nr. 68 und 69; Dülberg 1990, S. 61, Anm. 342; Wilckens 1991, S. 108, 127-129 und 171f.; Markowsky 1976, S. 51-54. Zum Muster und Farbkonzept des im Kasseler Porträt dargestellten Gewebes siehe ebd., S. 134, Nr. 45.
170 Vgl. u.a. Friedrich Herlin: Jakob Fuchsart und seine Familie (Stiftertafeln des Hochaltars von St. Georg in Nördlingen), 1462, Fichtenholz, jeweils 89 x 66 cm, Nördlingen, Stadtmuseum; Lucas Cranach d.Ä.: Bildnis der Anna Cuspinian, 1502-03, Holz, 59 x 45 cm, Winterthur, Sammlung Oskar Reinhart; Ausst. Kat. München 2011, S. 64, Nr. 30 und 31; Friedländer/Rosenberg 1979, S. 67, Nr. 7.
171 Glas, 81 x 48 cm, Nürnberg, Germanisches Nationalmuseum; Ausst. Kat. Nürnberg/New York 1986, S. 174, Nr. 43.
172 Vgl. Wilckens 1991, S. 294.
173 Siehe Hirschfelder 2012a, S. 110f.
174 Vgl. Hirschfelder 2012a, S. 110f. Innerbildliche Hinweise auf den Berufsstand der Dargestellten finden sich zumeist in Form von attributiv durch die Porträtierten dargebotenen Gegenständen, wie z.B. im Falle des Porträts eines Architekten mit Zirkel (vgl. Abb. 11).
175 Vgl. Buchner 1953, S. 209-212, 151-157 und 161f.
176 Das vermutlich einzige bekannte Vergleichsbeispiel liefert das Doppelbildnis eines Ehepaares von der Hand eines schwäbischen Meisters von 1479 aus dem Bayerischen Nationalmuseum in München, siehe Hinz 1974, S. 156, Abb. 18.
177 Vgl. Hirschfelder 2012a, S. 109f.
178 Nadelholz, 66 x 91 cm, Nürnberg, Museum Tucherschloss; Buchner 1953, S. 220, Nr. 201.
179 Hirschfelder 2012a, S. 110.
180 Pappelholz, 42 x 46 cm, Dessau, Anhaltische Gemäldegalerie; Ausst. Kat. Nürnberg 2012, S. 352, Nr. 62.
181 Siehe Hirschfelder 2012a, S. 109.
182 Vgl. Grote 1961, S. 38.
183 Siehe Buchner 1953, S. 177, Abb. 47.
184 Siehe Hirschfelder 2012a, S. 110.
185 Schwemmer 1962, S. 45.

»Das Urbild einer jungen vornehmen Nürnberger Bürgersfrau um 1500«:[185] Fazit

Mit Elsbeth Tucher porträtierte Albrecht Dürer die Vertreterin eines florierenden Nürnberger Patriziergeschlechts, das sich nachdrücklich der *Memoria* verschrieben hatte. In diesem Kontext und als rechte Hälfte eines Ehediptychons erwies sich das Bildnis als privates Dokument der familiären Identitätsbildung und genealogischen Kontinuität.

Für Dürer handelte es sich um einen der ersten, karrierebildenden patrizischen Aufträge seines Frühwerks. Der Künstler suchte hierbei den Anschluss an die lokale wie auch die Tuchersche Porträt-Tradition, womit er die identitätsstiftende Funktion des Bildnisses auch auf der gestalterischen Ebene umzusetzen vermochte. In der Aneignung und Modifikation seiner künstlerischen Vorbilder und der Verfeinerung der technisch-malerischen Mittel, die sich in der naturalistischen Erfassung des Modells zeigt, verlieh er dem Bildnis zugleich eine genuin eigene Ausprägung. Dieses kann damit als charakteristischer Exponent der frühen Porträts des Künstlers gelten.

Neben den ausdrucksvollen Zügen einer Nürnberger Patrizierin bewahrt das Kasseler Gemälde somit ebenso ein Zeugnis der behutsamen Erneuerung lokaler Porträttradition und familiärer Gedächtniskultur, das im Rahmen von Dürers professioneller Etablierung in Nürnberg und als Porträtmaler eine signifikante Etappe darstellt.

Bibliographie

Anzelewsky 1971
Anzelewsky, Fedja: Albrecht Dürer. Das malerische Werk, Berlin 1971

Anzelewsky 2000
Anzelewsky, Fedja: Albrecht Dürer. Werk und Wirkung, in: Albrecht Dürer: Das Gesamtwerk. Sämtliche Gemälde, Handzeichnungen, Kupferstiche und Holzschnitte (CDROM), Berlin 2000

Ausst. Kat. Basel 2006
Kemperdick, Stephan: Das frühe Porträt. Aus den Sammlungen des Fürsten von und zu Liechtenstein und dem Kunstmuseum Basel, Kunstmuseum Basel, München 2006

Ausst. Kat. Brügge 2010
Borchert, Till-Holger: Van Eyck bis Dürer. Altniederländische Meister und die Malerei in Mitteleuropa, 1430-1530, Groeningemuseum Brügge, Stuttgart 2010

Ausst. Kat. Frankfurt 2013
Sander, Jochen (Hg.): Dürer. Kunst – Künstler – Kontext, Städel Museum Frankfurt am Main, Frankfurt am Main 2013

Ausst. Kat. Frankfurt / Leipzig / Berlin 2006
Brinkmann, Bodo: Zwei Schwestern. Frankfurt am Main, Städel Museum / Leipzig, Museum der Bildenden Künste / Berlin, Staatliche Museen zu Berlin, Gemäldegalerie, Frankfurt am Main 2006

Ausst. Kat. Gotha 1998
Schuttwolff, Allmuth (Hg.): Jahreszeiten der Gefühle. Das Gothaer Liebespaar und die Minne im Spätmittelalter, Schlossmuseum Gotha, Ostfildern-Ruit 1998

Ausst. Kat. Innsbruck 2016
Meighörner, Wolfgang (Hg.): Nur Gesichter? Porträts der Renaissance, Tiroler Landesmuseum Ferdinandeum Innsbruck, Innsbruck 2016

Ausst. Kat. Lemgo / Kassel 1997
Borggrefe, Heiner / Lüpkes, Vera / Ottomeyer, Hans (Hg.): Moritz der Gelehrte. Ein Renaissancefürst in Europa, Weserrenaissance-Museum Schloss Brake Lemgo / Staatliche Museen Kassel, Orangerie, Kassel, Eurasburg 1997

Ausst. Kat. München 2003
Haus der Kunst München (Hg.): Barocke Sammellust. Die Sammlung des Baron Samuel von Brukenthal, Haus der Kunst München, Wolfrathshausen 2003

Ausst. Kat. München 2011
Haag, Sabine u.a. (Hg.): Dürer Cranach Holbein. Die Entdeckung des Menschen: Das deutsche Porträt um 1500, Kunsthistorisches Museum Wien / Kunsthalle der Hypo- Kulturstiftung München, München 2011

Ausst. Kat. Nürnberg 1971
Wilckens, Leonie von (Red.): Albrecht Dürer 1471-1971, Germanisches Nationalmuseum Nürnberg, München 1971

Ausst. Kat. Nürnberg 2002
Germanisches Nationalmuseum Nürnberg (Hg.): Quasi centrum Europae. Europa kauft in Nürnberg 1400 -1800, Germanisches Nationalmuseum Nürnberg, Nürnberg 2002

Ausst. Kat. Nürnberg 2008
Diefenbacher, Michael / Kley, Stefan (Hg.): Tucherbriefe. Eine Nürnberger Patrizierfamilie im 16. Jahrhundert, Museum für Kommunikation Nürnberg, Nürnberg 2008

Ausst. Kat. Nürnberg 2012
Hess, Daniel / Eser, Thomas (Hg.): Der frühe Dürer, Germanisches Nationalmuseum Nürnberg, Nürnberg 2012

Ausst. Kat. Nürnberg / New York 1986
Kashnitz, Rainer u.a. (Hg.): Nürnberg 1300-1550. Kunst der Gotik und Renaissance, Germanisches Nationalmuseum Nürnberg / Metropolitan Museum of Art New York, München 1986

Ausst. Kat. Wien 2003
Schröder, Klaus Albrecht / Sternath, Marie Luise (Hg.): Albrecht Dürer, Albertina Wien, Ostfildern-Ruit 2003

Beyer 2002
Beyer, Andreas: Das Porträt in der Malerei, München 2002

Bock 2001
Bock, Hartmut: Die Chronik Eisenberger. Edition und Kommentar. Bebilderte Geschichte einer Beamtenfamilie der deutschen Renaissance - Aufstieg in den Wetterauer Niederadel und das Frankfurter Patriziat, Frankfurt 2001

Böckem 2012
Böckem, Beate: Der frühe Dürer und Italien. Italienerfahrung und Mobilitätsprozesse, in: Ausst. Kat. Nürnberg 2012, S. 52-62

Bonnet / Kopp-Schmidt 2014
Bonnet, Anne-Marie / Kopp-Schmidt, Gabriele: Die Malerei der deutschen Renaissance, München 2014

Bournet-Bacot 2014
Bournet-Bacot, Marianne: Le portrait de couple en Allemagne à la Renaissance: D'un genre au genre, Rennes 2014

Buchner 1953
Buchner, Ernst: Das deutsche Bildnis der Spätgotik und der frühen Dürerzeit, Berlin 1953

Bundesbank 1962
Deutsche Bundesbank (Hg.): Die neuen Bundesbanknoten, in: Monatsberichte der Deutschen Bundesbank 11, 1962, S. 3-6 (Sonderdruck)

Bundesbank 1964
Deutsche Bundesbank (Hg.): Die Noten der Deutschen Bundesbank, Berlin 1964

Diefenbacher 1998
Diefenbacher, Michael: Die Tucherisch Compagnia. Ein Nürnberger Handelshaus um 1500, in: Becht, Hans-Peter / Schadt, Jörg (Hg.): Wirtschaft, Gesellschaft, Städte. Festschrift für Bernhard Kirchgässner zum 75. Geburtstag, Ubstadt-Weiher 1998, S. 79-93

Diefenbacher 2010
Diefenbacher, Michael: Nürnberger Patrizier, publiziert am 09.03.2010, in: Historisches Lexikon Bayerns, www.historisches-lexikon-bayerns.de/Lexikon/Nürnberger Patrizier (6.01.2017)

Diefenbacher / Berninger / Swoboda 2012
Diefenbacher, Michael / Berninger, Ulrike / Swoboda, Ulrike: Patrizier in Nürnberg. Das Geschlecht der Tucher, Nürnberg 2012

Dotzauer 1904
Dotzauer, D. von: Das Zeughaus der Reichsstadt Nürnberg, in: Mitteilungen des Vereins für Geschichte der Stadt Nürnberg 16, 1904, S. 151-178

Dülberg 1990
Dülberg, Angelica: Privatporträts. Geschichte und Ikonologie einer Gattung im 15. und 16. Jahrhundert, Berlin 1990

Eberlein 2003
Eberlein, Johann Konrad: Das Porträt im Werk Dürers, in: Schröder, Klaus-Albrecht / Sternath, Maria-Luise (Hg.): Albrecht Dürer, Albertina Wien, Ostfildern-Ruit 2003, S. 69-79

Eser 2011
Eser, Thomas: Dürers Selbstbildnisse als »Probestücke«. Eine pragmatische Deutung, in: Tacke, Andreas / Heinz, Stefan (Hg.): Menschenbilder. Beiträge zur altdeutschen Kunst, Petersberg 2011, S. 159-176

Eser 2012
Eser, Thomas: Das Ich und seine neuen Medien, in: Ausst. Kat. Nürnberg 2012, S. 276-279

Flechsig 1928
Flechsig, Eduard: Albrecht Dürer. Sein Leben und seine künstlerische Entwicklung, 2 Bände, Berlin 1928

Fleischmann 2008
Fleischmann, Peter: Rat und Patriziat in Nürnberg. Die Herrschaft der Ratsgeschlechter vom 13. bis zum 18. Jahrhundert, 3 Bände (Nürnberger Forschungen, Bd. 31), Nürnberg 2008

Friedländer / Rosenberg 1979
Friedländer, Max J. / Rosenberg, Jacob: Die Gemälde von Lucas Cranach, Basel 1979

Frieling 2016
Frieling, Kirsten O.: Zwischen Anspruch und sozialer Wirklichkeit. Kleidung als Statussymbol im späteren 15. und 16. Jahrhundert, in: Ausst. Kat. Innsbruck 2016, S. 34-39

Grebe 2006
Grebe, Anja: Albrecht Dürer. Künstler, Werk und Zeit, Darmstadt 2006

Grieb 2009
Grieb, Manfred H.: Archiv Grieb zur Nürnberger Stadt- und Kulturgeschichte, Nürnberg 2009 (CD-ROM)

Grimm 2002
Grimm, Claus: Meister oder Schüler? Berühmte Werke auf dem Prüfstand, Stuttgart 2002

Grote 1961
Grote, Ludwig: Die Tucher. Bildnis einer Patrizierfamilie, München 1961

Gulden 2012
Gulden, Sebastian: Ideale Nachbarschaft. Das Wohnumfeld des jungen Dürer als Erfahrungsraum, in: Ausst. Kat. Nürnberg 2012, S. 29-38

Haller 1978
Haller von Hallerstein, Helmut Freiherr: Nürnberger Geschlechterbücher, in: Mitteilungen des Vereins für Geschichte der Stadt Nürnberg 65, 1978, S. 212-235

Herzog 1969
Herzog, Erich: Die Gemäldegalerie der Staatlichen Kunstsammlungen Kassel, Hanau 1969

Hess / Mack 2012
Hess, Daniel / Mack, Oliver: Dürer beim Malen. Das Frühwerk bis 1505, in: Ausst. Kat. Nürnberg 2012, S. 171-194

Hinz 1974
Hinz, Berthold: Studien zur Geschichte des Ehepaarbildnisses, in: Marburger Jahrbuch für Kunstwissenschaft 19, 1974, S. 139-218 (Sonderdruck)

Hirschfelder 2012a
Hirschfelder, Dagmar: Dürers frühe Privat- und Auftragsbildnisse zwischen Tradition und Innovation, in: Ausst. Kat. Nürnberg 2012, S. 101-116

Hirschfelder 2012b
Hirschfelder, Dagmar: Vorläufer Dürers in der Nürnberger Bildnismalerei, in: Ausst. Kat. Nürnberg 2012, S. 340f

Hirschfelder 2012c
Hirschfelder, Dagmar: Die Bildnisse der Familie Tucher, in: Ausst. Kat. Nürnberg 2012, S. 346-348

Hoffmann 1992
Hoffmann, Helga: Die deutschen Gemälde des 16. Jahrhunderts. Kunstsammlungen zu Weimar, Weimar 1992

Hollstein
German engravings, etchings and woodcuts 1400-1700, von Friedrich W. H. Hollstein, Bd. 1ff., Amsterdam u.a.

Hutchison 1994
Hutchison, Jane Campbell: Albrecht Dürer. Eine Biographie. Aus dem Englischen von Eva Gärtner, Frankfurt am Main 1994

Joachimsohn 1895
Joachimsohn, Paul: Hans Tuchers Buch von den Kaiserangesichten, in: Mitteilungen des Vereins für Geschichte der Stadt Nürnberg 11, 1895, S. 1-86

Kat. Frankfurt 2002
Brinkmann, Bodo: Deutsche Gemälde im Städel 1300-1500, Mainz 2002

Kat. Kassel 1996
Schnackenburg, Bernhard: Gemäldegalerie Alte Meister Gesamtkatalog. Staatliche Museen Kassel, 2 Bände, Mainz 1996

Kat. Kassel 1997
Schneckenburger-Broschek, Anja: Altdeutsche Malerei. Die Tafelbilder und Altäre des 14. bis 16. Jahrhunderts in der Gemäldegalerie Alte Meister und im Hessischen Landesmuseum Kassel, Eurasburg 1997

Kat. Köln 1986
Wallraf-Richartz-Museum (Hg.): Von Stefan Lochner bis Paul Cézanne. 120 Meisterwerke der Gemäldesammlung, Köln 1986

Kat. München 1998
Goldberg, Gisela / Heimberg, Bruno / Schawe, Martin: Albrecht Dürer. Die Gemälde der Alten Pinakothek, Heidelberg 1998

Kathke 1997
Kathke, Petra: Porträt und Accessoire. Eine Bildnisform im 16. Jahrhundert, Berlin 1997

Kemperdick 2006
Kemperdick, Stephan: Die Gestalt der Menschen nach ihrem Tod bewahren. Bildnismalerei des 15. und 16. Jahrhunderts in Deutschland, Frankreich und den Niederlanden, in: Ausst. Kat. Basel 2006, S. 18-38

Kemperdick 2011
Kemperdick, Stephan: Vor Dürer. Die Anfänge der deutschen Porträtmalerei, in: Ausst. Kat. München 2011, S. 49-78

Kemperdick 2012
Kemperdick, Stephan: Ergänzende Beobachtungen zum Dessauer Doppelbildnis, in: Ausst. Kat. Nürnberg 2012, S. 349

Kirchhoff 2016
Kirchhoff, Matthias: Tucher von Simmelsdorf (Familie), publiziert am 24.10.2016; in: Historisches Lexikon Bayerns, www.historisches-lexikonbayerns.de / Lexikon / Tucher von Simmelsdorf (Familie) (6.01.2017)

Kopp-Schmidt 2014
Kopp-Schmidt, Gabriele: Das deutsche Porträt um 1500 – Memoria und Selbstreflexion, in: Bonnet / Kopp-Schmidt 2014, S. 49-57

Kranz 2016
Kranz, Annette: »Das mein Gstalt in Gedehtnvs bleib / wann absterb der zergengklich Leib«. Positionen der Porträtmalerei der Renaissance in Nürnberg und Augsburg, in: Ausst. Kat. Innsbruck 2016, S. 94-136

Krause 2011
Krause, Stefan: Auf Äußerlichkeiten achten: Form und Funktion deutscher Porträts um 1500, in: Ausst. Kat. München 2011, S. 245-248

Krause 2016
Krause, Stefan: Die Porträts des Malers Hans Maler. Spiegelbild der Tiroler Wirtschaft um 1520. Praktische Verwendung von Bildnissen in der Renaissance, in: Ausst. Kat. Innsbruck 2016, S. 156-190

Krems / Ruby 2016
Krems, Eva-Bettina / Ruby, Sigrid (Hg): Das Porträt als kulturelle Praxis, Berlin / München 2016

Kuhn 2007
Kuhn, Christian: Totengedenken und Stiftungsmemoria. Familiäres Vermächtnis und Gedächtnisbildung der Nürnberger Tucher (1450-1550), in: Studt, Birgit (Hg.): Haus- und Familienbücher in der städtischen Gesellschaft des Spätmittelalters und der Frühen Neuzeit, Köln / Weimar / Wien 2007, S. 121-134

Kuhn 2010
Kuhn Christian: Generation als Grundbegriff einer historischen Geschichtskultur. Die Nürnberger Tucher im langen 16. Jahrhundert, Göttingen 2010

Kunsthaus-Inventar 1744
Verzeichnis aller im Kunsthaus befindlichen Schilderijen, 1744 (Archiv MHK)

Landois 2014
Landois, Antonia: Gelehrtentum und Patrizierstand. Wirkungskreise des Nürnberger Humanisten Sixtus Tucher (1459-1507), Tübingen 2014

Löcher 1985
Löcher, Kurt: Bildnismalerei des späten Mittelalters und der Renaissance in Deutschland, in: Bushart, Bruni / Lübbeke, Isolde: Altdeutsche Bilder der Sammlung Georg Schäfer Schweinfurt, Altes Rathaus der Stadt Schweinfurt, Schweinfurt 1985, S. 31-56

Lübbeke 1991
Lübbeke, Isolde: Early German painting 1350-1550. The Thyssen-Bornemisza collection, London 1991

Markowsky 1976
Markowsky, Barbara: Europäische Seidengewebe des 13.-18. Jahrhunderts, Köln 1976

Mende 1976
Mende, Matthias: Albrecht Dürer. Das Frühwerk bis 1500, Herrsching 1976

Meyer 2009
Meyer, Carla: Die Stadt als Thema. Nürnbergs Entdeckung in Texten um 1500 (Mittelalter-Forschungen, Bd. 26), Ostfildern-Ruit 2009

Morath-Fromm 2011
Moraht-Fromm, Anna: Knopf und Kragen: Zu Kostüm und Accessoire im deutschen Porträt um 1500, in: Ausst. Kat. München 2011, S. 273-277

Nürnberger Künstlerlexikon
Grieb, Manfred H. (Hg.): Nürnberger Künstlerlexikon. Bildende Künstler, Kunsthandwerker, Gelehrte, Sammler, Kulturschaffende und Mäzene vom 12. bis zur Mitte des 20. Jahrhunderts, 4 Bände, München 2007

Panofsky 1955 / 2005:
Panofsky, Erwin: The life and art of Albrecht Dürer. With a new introduction by Jeffrey Chipps Smith, Princeton 2005

Pfotenhauer 2016
Pfotenhauer, Bettina: Nürnberg und Venedig im Austausch. Menschen, Güter und Wissen an der Wende vom Mittelalter zur Neuzeit, Regensburg 2016

Rebel 1996
Rebel, Ernst: Albrecht Dürer. Maler und Humanist, München 1996

Rupprich 1966
Rupprich, Hans (Hg.): Dürer schriftlicher Nachlass, Band 2, Berlin 1966

Schauerte 2012
Schauerte, Thomas: Dürer. Das ferne Genie. Eine Biographie, Stuttgart 2012

Schmid 2003
Schmid, Wolfgang: Dürer als Unternehmer. Kunst, Humanismus und Ökonomie in Nürnberg um 1500, Trier 2003

Schmidt 2016
Schmidt, Sebastian: Raumgreifende Bilder. Zur Relation von Bild- und Betrachterraum in Hans Pleydenwurffs Löwenstein-Diptychon und Albrecht Dürers frühen Bildnispaaren, in: Numismatische Zeitschrift 122, 2016, S. 31-52

Schmidt 2018
Schmidt, Sebastian: Abbild Selbstbild. Das Porträt in Nürnberg um 1500, Wiesbaden 2018

Schoch / Mende / Scherbaum 2001
Schoch, Rainer / Mende, Matthias / Scherbaum, Anna: Albrecht Dürer. Das druckgraphische Werk, Bd. 1: Kupferstiche, Eisenradierungen und Kaltnadelblätter, München u.a. 2001

Schoch / Mende / Scherbaum 2002
Schoch, Rainer / Mende, Matthias / Scherbaum, Anna: Albrecht Dürer. Das druckgraphische Werk, Bd. 2: Holzschnitte und Holzschnittfolgen, München u.a. 2002

Schütz 2011
Schütz, Karl: Gestalt und Geist. Albrecht Dürer als Porträtist, in: Ausst. Kat. München 2011, S. 79-84

Schwemmer 1962
Schwemmer, Wilhelm: Das Mäzenatentum der Nürnberger Patrizierfamilie Tucher vom 14. bis 18. Jahrhundert, in: Mitteilungen des Vereins für Geschichte der Stadt Nürnberg 51, 1962, S. 18-59

Strieder 1971a
Strieder, Peter: Die Bedeutung des Porträts bei Albrecht Dürer, in: Schade, Herbert (Hg.): Albrecht Dürer. Kunst einer Zeitenwende, Regensburg 1971, S. 84-100

Strieder 1971b
Strieder, Peter: Das Werk: Die Entdeckung des Individuums, in: Ausst. Kat. Nürnberg 1971, S. 279-298

Strieder 1993
Strieder, Peter: Tafelmalerei in Nürnberg 1350-1550, Königstein im Taunus 1993

Strieder 1996
Strieder, Peter: Dürer, Eltville 1996

Suckale 2009
Suckale, Robert: Die Erneuerung der Malkunst vor Dürer, 2 Bände, Petersberg 2009

Tucherbuch 2004
Haus der Bayerischen Geschichte / Stadtarchiv Nürnberg (Hg.): Das große Tucherbuch (= Handschriften aus Bayerischen Bibliotheken und Archiven auf CD-ROM), Augsburg / Nürnberg 2004 (CD-ROM)

Vavra 2012
Vavra, Elisabeth: Ehe-Paar-Bilder, in: Jaritz, Gerhard (Hg.): Ritual, images, and daily life. The medieval perspective, Münster 2012

Wendehorst 1986
Wendehorst, Alfred: Die Reichsstadt Nürnberg von den Anfängen bis zum Ende ihrer großen Zeit, in: Ausst. Kat. Nürnberg / New York 1986, S. 11-26

Wilckens 1971
Wilckens, Leonie von: Begegnungen, in: Ausst. Kat. Nürnberg 1971, S. 60-129

Wilckens 1991
Wilckens, Leonie von: Die textilen Künste. Von der Spätantike bis um 1500, München 1991

Wilckens 1997
Wilckens, Leonie von: Geschichte der deutschen Textilkunst. Vom späten Mittelalter bis in die Gegenwart, München 1997

Zahnd 1990
Zahnd, Urs Martin: Einige Bemerkungen zu spätmittelalterlichen Familienbüchern aus Nürnberg und Bern, in: Endres, Rudolf (Hg.): Nürnberg und Bern. Zwei Reichsstädte und ihre Landgebiete, Erlangen 1990

Zander-Seidel 1990
Zander-Seidel, Jutta: Textiler Hausrat. Kleidung und Haustextilien in Nürnberg von 1500- 1650, München 1990

Zander-Seidel 2010
Zander-Seidel, Jutta: »Haubendämmerung«. Frauenkopfbedeckungen zwischen Spätmittelalter und Früher Neuzeit, in: Schwinges, Rainer Christoph / Schorta, Regula (Hg.): Fashion and clothing in late medieval Europe. Mode und Kleidung im Europa des späten Mittelalters, Basel 2010, S. 37-43

Bildnachweis

1 Kassel, Museumslandschaft Hessen Kassel, Gemäldegalerie Alte Meister (Foto: Ute Brunzel)

2 Kassel, Museumslandschaft Hessen Kassel, Archiv (Foto: Ute Brunzel)

3 Nürnberg, Stadtarchiv: E 29/III Nr. 258 fol. 76r

4 Wolfenbüttel, Herzog August Bibliothek: A 22352 (I15580)

5 Nürnberg, Germanisches Nationalmuseum (Foto: Georg Janßen)

6 Nürnberg, St. Sebald (Foto: Thomas Bachmann)

7 Nürnberg, St. Sebald (Foto: Thomas Bachmann)

8 Kassel, Museumslandschaft Hessen Kassel, Archiv Restaurierung

9 London, The National Gallery / Florence, Scala

10 Berlin, Staatliche Museen zu Berlin, Kupferstichkabinett (Foto: Volker-H. Schneider) / bpk

11 Basel, Kunstmuseum (Foto: Hans Hinz) / ARTOTHEK

12 München, Bayerische Staatsgemäldesammlungen / bpk

13 Nürnberg, Germanisches Nationalmuseum (Foto: Sebastian Tolle)

14 Nürnberg, Museum Tucherschloss und Hirsvogelsaal / Museen der Stadt Nürnberg, Leihgabe der Tucher'schen Kulturstiftung (Foto: Uwe Niklas) / Kassel, Museumslandschaft Hessen Kassel, Gemäldegalerie Alte Meister (Foto: Arno Hensmanns)

15 Madrid, Museo Nacional Thyssen-Bornemisza / Florence, Scala

16 Detroit, The Detroit Institute of Arts

17 Berlin, Staatliche Museen zu Berlin, Gemäldegalerie, Eigentum des Kaiser Friedrich Museumsvereins (Foto: Volker-H. Schneider) / bpk

18 Berlin, Staatliche Museen zu Berlin, Gemäldegalerie (Foto: Christoph Schmidt) / bpk

19 Madrid, Museo Nacional del Prado (Foto: Joseph Martin) / bpk

20 Bergamo, Fondazione Accademia Carrara

21 Washington, National Gallery of Art (Foto: Joseph S. Martin) / ARTOTHEK

22 München, Bayerische Staatsgemäldesammlungen / bpk

23 Weimar, Klassik Stiftung Weimar (Foto: Oliver Mack) / bpk

24 Kassel, Museumslandschaft Hessen Kassel, Gemäldegalerie Alte Meister (Foto: Ute Brunzel) / Weimar, Klassik Stiftung Weimar (Foto: Oliver Mack) / bpk

25 Köln, Wallraf-Richartz-Museum & Fondation Corboud / Rheinisches Bildarchiv Köln: rba_c004537 und rba_c004538

26 München, Alte Pinakothek (Foto: Blauel / Gnamm) / ARTOTHEK

27 München, Bayerische Staatsgemäldesammlungen / bpk

28 Köln, Wallraf-Richartz-Museum & Fondation Corboud / Rheinisches Bildarchiv Köln: rba_d046994

29 Frankfurt, Städel Museum (Foto: U. Edelmann) / ARTOTHEK

30 Nürnberg, Germanisches Nationalmuseum (Foto: Monika Runge)

31 Nürnberg, Museum Tucherschloss und Hirsvogelsaal / Museen der Stadt Nürnberg, Leihgabe der Tucher'schen Kulturstiftung (Foto: Uwe Niklas)

32 Dessau-Roßlau, Anhaltische Gemäldegalerie

Albrecht Dürer:
Bildnis der
Elsbeth Tucher,
1499, Kassel,
Museumslandschaft
Hessen Kassel,
Gemäldegalerie Alte
Meister